闘志みなぎる革共同政治集会（2023年９月24日、松戸市民会館）

革　　　　　　　　年 怒濤の前進を

パレスチナ人民大虐殺弾劾！

全学連がイスラエル大使館に怒りの拳（10月20日）

労学の白ヘル部隊が首都中枢をデモ（10月15日）

自民党大阪府連にむけ進撃（10月15日、大阪市）

自民党道連に怒りのデモ（10月22日、札幌市）

10・15－22全国で大軍拡・改憲阻止の闘いに起つ

名古屋市栄を戦闘的デモ（10月22日）

国際通りを進撃（10月15日、那覇市）

天神で反戦の声を轟かす（10月22日、福岡市）

各地で日米合同演習に反撃

沖縄ホワイト・ビーチ前で座り込み（10月20日、うるま市）

宮崎県霧島演習場現地闘争（10月7日、えびの市）

（9月18日、釧路市）

日豪空軍演習反対の小松基地ゲート前集会（８月23日）

代執行を許すな！ 辺野古現地大行動（10月7日）

新世紀

第 328 号（2024年 1 月）

The Communist

帝国主義打倒！
　スターリン主義打倒！
　　万国の労働者団結せよ！

2024年1月　No.328　目次

新世紀

日本革命的共産主義者同盟 革命的マルクス主義派 機関誌

イスラエルのガザ総攻撃弾劾！
パレスチナ人民大殺戮を許すな

（1）

イスラエルのネタニヤフ政権は、いままさに、二二〇万人民が暮らすパレスチナ・ガザ地区にたいして、戦車部隊を先頭にした一〇万余の大軍を突入させようとしている。十月八日いらいの連日にわたる空爆によって破壊しつくしたガザの街において、殺人鬼どもはさらなるパレスチナ人民大虐殺に手を染めようとしているのである。

ガザ地区の北部に暮らす一一〇万の人民にたいしてイスラエル軍は、「ガザ南部に避難しろ。従わない者はハマス戦闘員とみなす」などという通告を発し、南部への「避難ルート」なるものを指示した。だがこれらは、全世界で高まる「人道的危機から市民を救え」という声をかわすためのシオニストどもの詐術にほかならない。見よ、卑劣なイスラエル軍は指示された経路を通行していたガザ人民にミサイルをぶちこんでいるではないか。そもそも老人や病人や乳幼児を抱えた母親たちを含む一〇〇万もの人民が「即刻避難」などできるはずがないのだ。まさしく「ガザ南部への避難勧告」なるものは、イスラエル・シオニスト政権によるパレスチナ人民皆殺しの宣言であり、最後通牒にほかならない。

パレスチナのムスリム組織ハマスによるイスラエル領内への大規模越境攻撃(十月七日)、これに震撼させられたシオニスト・ネタニヤフは、「ハマスを完全に殲滅する」と吠えたて、ガザ地区人民を大虐殺する挙にでたのである。これこそは、イスラエルにたいする抵抗の拠点となっているガザのパレスチナ自治区そのものを人民もろともにこの地上から抹殺せんとする狂気のジェノサイドいがいの何ものでもない。断じて許すな！

十月七日早朝、ハマスを中心とするパレスチナの武装勢力は、三〇〇〇発以上のロケット弾をいっせいにイスラエル領内にむけて発射した。そして同時に、ネタニヤフ政権が造ったガザ地区を囲む全長六〇キロメートルの壁を、まさにその内側にパレスチナ人民を閉じこめてきた「天井のない牢獄」の壁を、上部に設置されていた監視所とハイテク監視システムもろともに粉砕したのだ。これによってイスラエル軍・治安機関の〝目〟を破壊したハマスは、壁を爆破し穴を開け、千数百人以上の武装部隊をイスラエル領内に突入させた。彼らは近郊の町の警察署を占拠し、イスラエル軍の拠点を攻撃した。イスラエル領内に突入したパレスチナ武装部隊は、四日間にわたってイスラエル軍との戦闘を続けたのだ。

こうした大規模攻撃を事前に察知することも予想することもできなかったイスラエル・シオニスト政府は、この越境攻撃に逆上し、ガザ地区にたいする猛空爆を開始した。ネタニヤフは「戦争が始まった」などとほざいて三六万人の予備役をかき集め、この大軍でガザ地区を完全包囲している。そしてガザ地区の人民が生きてゆくために絶対に必要な水と電気と食料と燃料の供給をすべて遮断するという、まさに人民に死を強制する攻撃を強行しているのだ。しかもガザの人民が安全を求めて殺到している国連施設や国連経営の学校や病院を狙い撃ちにして、イスラエル軍は爆撃を強行している。こうしてネタニヤフに率いられたイスラエル軍は、すでに数千人ものパレスチナ・ガザ人民を虐殺しているのである。

イスラエルによるガザ総攻撃・パレスチナ人民大殺戮を絶対に阻止せよ！

（2）

10・7の越境攻撃にさいしてハマスは、兵士だけでなく多くの市民をも襲撃した。音楽フェスティバルの会場では多くの市民を殺害し、女性や子どもを含む多数の人民を人質にしてガザに連れ帰った。イスラエルの官憲によって「政治犯」として拉致され投獄されている五〇〇〇人以上のパレスチナ人民を奪いかえすために、あえて「人質」をとる戦術を採ったのである（ハマス指導部はその数を「二〇〇人から二五〇人」と発表している）。また、二つのキブツ（農業共同体）を襲ってそこで働く農民たちを殺し、拉致した市民を斬首する映像をＳＮＳで流した、とも言われている。だが、この後者については「フェイクだ」と言う中東分析の専門家もいる。おそらくは、ハマスを残忍なテロリストとして描きだすためにイスラエルが流した偽動画であろう。

たとえ「パレスチナの大義のためである」と主張したとしても、無辜の人民を無差別に殺害するというやり方は労働者階級の階級的組織化を阻害するものであり、われわれはそれをしも肯定することはできない。

だが、ハマスをしてかかる激烈な闘争へと駆りたてたものこそは、パレスチナ人民を虫けらのように殺戮してきたイスラエル・シオニスト国家の凄まじい暴虐であり、それを公然と支援し擁護してきた帝国主義権力者どもの犯罪でなくてなんであるのか！このハマスによる越境武装闘争は、「天井のない牢獄」に十六年間も閉じこめられ、それに反抗すればシオニストの軍や官憲によって虫けらのように殺されてきたパレスチナ・ガザ人民の積もり積もった憤激に駆られての武装決起にほかならない。

今世紀に入って以降、イスラエルは幾度となくガザへの軍事攻撃を強行し、数多のパレスチナ人民を血の海に沈めてきた。パレスチナ人民が反シオニスト闘争を敢行すれば、ただちにそれを数層倍するミサイルや空爆の〝報復〟で人民が虐殺され、食糧封鎖・エネルギー封鎖が仕掛けられてきた。今年の五月にはエルサレムにあるイスラームの聖地アルアクサ・モスクが極右シオニスト集団によって蹂躙され、これに抗議したパレスチナ人民が治安部隊によって虐殺された。ヨルダン川西岸では武装したシオニストどもが「入植」と称してパレスチナ人居住区に侵入し、銃や棍棒で人民を追いだし殺戮している。それは「入植」という名の軍事占領いがいの何ものでもない。パレスチナ自治政府の管理地域はこの暴力的な「入植」によって次々に削り取られているのだ。

しかも、これらのシオニスト国家の凄惨な弾圧と暴虐を、口を開けば「人権と民主主義」を唱えている米・欧などの帝国主義権力者はことごとく容認し支援してきたのだ。

それだけではない。「アラブの大義」を謳い、「パレスチナ国家独立」を支援してきたはずのアラブ諸国家の権力者たちもまた、いまやハイテクやカネに目がくらんで、次々にイスラエルと妥協し癒着しはじめた。エジプトやヨルダンにはじまり、ＵＡＥ（アラブ首長国連邦）やバーレーン、そしてついに「アラブの盟主」を自任してきたサウジアラビアまでもが「国交交渉」を開始した。「アラブの大義」を投げ捨てたこれらアラブ諸国権力者どもの裏切りに憤激するとともに、〝このままではパレスチナは世界から見捨てられる、独立国家樹立の道そのものが無きものにされる〟という危機意識を募らせてきたのが、ガザを拠点とするハマス指導部なのだ。

これほどまでに絶望的な状況のなかで堪えに堪えながら怒りにうち震えてきたガザ人民とその指導部たるハマスが、いまや〝座して死を待つよりは撃って出ん〟の精神で越境攻撃を決行したのだ。全世界の労働者階級・人民は、たとえ誤謬にまとわりつかれたものであったとしても、今回のハマスとパレスチナ人民のこの決死の武装闘争を〝世界はパレスチナを忘れるな〟〝シオニスト国家の暴虐を許すな〟という悲痛な叫びとして受けとめ、いまこそ奮起し闘いに起ちあがるのでなければならない。

（3）

すべての労働者・学生諸君！

イスラエルのシオニスト権力者は、明日にも、ガザ地区にたいして地上部隊を突入させようとしている。もはや一刻の猶予もない。いまこそ、われわれは、日本の地において〈ネタニヤフ政権のパレスチナ総殲滅戦を許すな！　人民大虐殺弾劾！〉の闘いを創造しようではないか。

アメリカのバイデン政権は二個の空母打撃群を東地中海に急派し、イスラエルを軍事的にバックアップしている。この政権は、ハマスの後ろ盾とみなしたイランにたいする軍事的威嚇を強化しているのだ。アメリカ帝国主義の軍事介入を断じて許すな！

そして中洋・イスラーム圏のムスリム人民にわれわれは呼びかける。イスラエル軍のガザ総攻撃を阻止する闘いに決起せよ！

イスラエルに軍事占領されたシナイ半島、ゴラン高原の奪還をかけて、エジプト、シリアが軍事攻撃にうって出た第四次中東戦争（一九七三年十月）、それからちょうど五十年のこんにち、ハマスはイスラエル・シオニスト権力にたいする一大武装闘争を敢行した。まさにそれは、アラブ諸国権力者の多くが「アラブの大義」を投げ捨てシオニスト権力者と手を結ぼうとしていることへの反抗にほかならない。パレスチナ人民を蹂躙しつづけるシオニスト権力と癒着するアラブ諸国権力者を弾劾せよ！

われわれはイスラエルの労働者・人民に呼びかける。ネタニヤフ政権によるパレスチナ人民皆殺し戦争を阻止し、この政権を打倒する闘いに起て！

この闘いと同時にわれわれは、日本の地において、ウクライナ反戦闘争の巨大な前進を切り拓くために奮闘しようではないか。

プーチン・ロシアによるウクライナ侵略の開始から一年八ヵ月を経たこんにち、ロシアの侵略軍をウクライナの地から叩きだすためのウクライナ人民の戦いは、大きな困難に直面している。

アメリカのバイデン民主党政権にたいして、トランプ派が主導する共和党が「ウクライナへの軍事支援の停止」要求をゴリ押ししている。この圧力をうけたバイデン政権は、「イスラエルへの軍事支援強化」を錦の御旗としてウクライナ軍事支援の削減・打ち切りへと舵を切ろうとしているにちがいない。

このアメリカの動きをまえにして、「米欧の支援が止まればウクライナは一週間しかもたない」などとほくそ笑んでいるのがプーチンのロシアなのだ。

プーチン・ロシアの侵略を打ち砕くためのウクライナ人民の闘いは正念場を迎えている。いまこそ全世界から、イスラエルのパレスチナ侵略弾劾の闘いとともに、ウクライナ反戦闘争の炎を燃えあがらせようではないか。

すべての労働者・学生諸君！

いまこのときにもイスラエルのネタニヤフ政権は、パレスチナ人民の大虐殺を強行しつづけている。このシオニスト政権のジェノサイドを断じて許すな！　全世界で反戦の闘いを巻き起こそうではないか！

（二〇二三年十月十六日）

「ガザ人民皆殺し戦争をうち砕け！」全学連がイスラエル・米大使館にデモ（11月8日）

ガザ人民のジェノサイド弾劾！イスラエル軍の地上侵攻を許すな

難民キャンプ爆撃・人民皆殺し攻撃を許すな！

ネタニヤフ政権の命令を受けたイスラエル軍は、ガザ地区最大の市街地であるガザ市を包囲し、地上と空と海から総攻撃を開始した(十一月二日)。この殺人鬼どもは、ガザ市街地の北部に位置するジャバリヤ難民キャンプにたいして、三日間(十月三十一日〜十一月二日)にわたって、バンカーバスター(地中貫通爆弾)などの大型爆弾を投下し数百人もの無辜の人民を殺害し、何百台もの戦車・装甲車を市街地に突入させたのだ。ネタニヤフ政権が二二〇万ガザ人民にたいしていままさに強行せんとしているジェノサイドを断じて許してはならない！

イスラエル軍は、ハマスがガザ全域に網の目のようにはりめぐらせた全長五〇〇キロにおよぶ地下トンネルを、地表から三〇メートルにまで届くといわれるバンカーバスターによって破壊している。

この殺人鬼どもは、十月八日いらい何千発もの砲爆撃を住宅街、病院、学校、難民キャンプにくわえ、確認されただけでも一万人を超えるパレスチナ・ガザ人民の命を奪いさった(十一月六日現在)。瓦礫の山と化したガザ地区では、少なくとも一五〇万人が家を失い空爆から逃げまどう毎日を強制されている。

ガザ市に侵攻したイスラエルの地上部隊にたいして、ハマスの戦闘部隊は地下トンネルをつうじて移動しながら軍事的反撃に果敢にうってでている。イスラエル軍の戦車や装甲車の背後から、側面からロケット弾攻撃をしかけ、あるいはまた、戦車の死角をついて接近し爆弾を装甲の隙間から押しこんだうえで、素早く撤退するという大胆なゲリラ戦をも敢行しているのだ。

ハマスがイスラエルにたいして決行した10・7越境攻撃に驚愕したネタニヤフ政権は、いまやガザにおけるパレスチナ人民居住区そのものを完全に無きものにするための、エスニック・クレンジング(民族浄化)を強行しているのである。ガザ北部の住民に「南部に避難しろ」などと命令してきたイスラエル軍は、北部から避難した人民が身を寄せている南部の病院や学校や難民キャンプを狙い撃ちにし、数多の傷病者や医療労働者や子どもを次々と殺害している。十一月三日には、北部の病院からエジプトへと南方にむけて重傷者を搬送していた五台の救急車を二度にわたって爆撃した。

それだけではない。シオニスト権力は、ガザ人民の生存に不可欠な水・食料・燃料の供給を完全に遮断し彼らを地獄の苦しみに突き落としている。エジプトに接するラファ検問所に集結した国連の「人道支援」トラックの通過を徹底的に妨害しているのだ。水、食料、医薬品の搬入は通常時のわずか四%しか許可していない。しかも、「人道支援物資」の陸揚げを阻止することを策して、地中海に面したガザ港の埠頭を爆撃し破壊した。燃料については「ハマスが利用するから」などとほざき拒んでいるのだ。

燃料不足のゆえにガザ全域で電気は止められ、保育器や人工透析装置やICU(集中治療室)は次々と機能停止に追いこまれている。医療機器や医薬品の枯渇に直面しているガザの病院では、麻酔薬も底をつき鎮痛剤のみで手術をおこなわざるをえなくなっているのだ。

「ハマス＝テロリストの抹殺」の名のもとにネタニヤフ政権が強行している〈国家テロル〉を怒りを込めて弾劾せよ！

虐殺者ネタニヤフを全面支援する バイデン政権を弾劾せよ！

このネタニヤフ政権にたいしてアメリカ帝国主義のバイデン政権は、バンカーバスターなどのガザ攻撃のための大量の弾薬を提供し、イスラエル軍の攻撃開始に合わせてシリア領内にあるイラン革命防衛隊の関連施設にたいする空爆を強行した。バイデンのアメリカは、シーア派組織ヒズボラやイエメンのフーシ派、そしてハマスの後ろ盾とみなしているイランにたいする臨戦態勢を一挙に強化しているのだ。

現に、イスラエルのパレスチナ攻撃開始と時を同じくしてバイデン政権は、地中海に二つの空母打撃群を派遣しＦ35、Ｆ16、Ａ10などの米空軍の戦闘機部隊を中東地域に増強配備した。これにつづいて、イスラエルにたいする追加軍事支援一四三億ドルの供与（十月二十日）、ミサイル迎撃システムＴＨＡＡＤの中東配備と地対空ミサイル・パトリオット運用部隊九〇〇名の追加配備を発表したのである（二十二日）。

いまや、ネタニヤフの放ったイスラエル軍が女性・子ども・高齢者を含む数多の人民を次々と虐殺していることが明らかとなり、この残虐極まりないシオニスト権力者にたいするムスリム人民の怒りが、全世界の労働者・人民の憤激の炎が燃えさかっている。そして、これに揺さぶられた各国政府・権力者は、「人道危機の回避」を口にせざるをえなくなっている。

かの国連総会においては、ヨルダン政府（アラブ諸国共同）提案の「人道的休戦」を求める決議案にたいして一二一ヵ国が賛成票を投じた（十月二十七日採択）。こうしたなかで、アメリカ権力者は、「イスラエルには自衛のためにできることは何でもする権利と義務がある」などと傲然とほざきながらこの「人道的休戦」決議にあくまでも反対した。Ｇ７の帝国主義諸国権力者のなかでもただひとり極悪非道のシオニスト権力を擁護する姿勢をむきだしにしたのが、バイデンのアメリカである。

アメリカ国内においても「イスラエルのパレスチナ人民虐殺反対」の声が囂々と轟いている。

二〇二四年秋の大統領選挙をひかえてバイデンは、国内のユダヤ・ロビーの支持をとりつけるとともに有権者の二五％を占めるキリスト教右派（福音派）の票をとりこむために、「われわれはイスラエルといつも共にある」などと〝イスラエルとの一体性〟を喧伝してきた。だが、こうしたバイデンの対応こそが、民主党の支持基盤となってきたアラブ系・ムスリム系アメリカ人や黒人・ヒスパニックおよび「Z世代」と呼ばれる十～三十代の若年層を中心としたリベラル派ユダヤ人の怒りを招いたのである。

こうしたアメリカの労働者・人民の憤激の嵐に見舞われているバイデン政権は、「人道的配慮」とか「民間人を守るための一時的な攻撃の中断」とかをイスラエル首相ネタニヤフに要請している。だが、これにたいして「ハマスに時間的猶予を与えることになる」などと断じ、はなから拒絶したのがネタニヤフなのだ。

バイデンの「人道的配慮」なる言辞じたいが、〝パレスチナ抹殺〟に手を染めているネタニヤフと一体化するアメリカにたいして全世界で高まる非難をかわすための詐術いがいのなにものでもない。シオニスト権力者どものパレスチナ人民にたいする苛烈な弾圧・蛮行を擁護し支えてきた張本人こそ、米欧帝国主義なかんずくアメリカ権力者なのである。

なによりも、バイデン政権じしんが、エルサレムのイスラエルの首都としての認定、ゴラン高原のイスラエルへの帰属承認、国連パレスチナ機構への資金提供停止など、トランプ前政権の対中東政策をそっくりそのまま継承してきた。このアメリカ帝国主義の対応じたいが、アラブ・中洋諸国をはじめとする途上諸国の権力者や人民の憎悪の的となっているのであり、ハマスをはじめとするムスリム人民をして激烈な闘争にかりたてた淵源なのである。

バイデンのアメリカは、ハマスとプーチンを重ねあわせ「テロリストと独裁者に報いを受けさせる」

などとのたまい「民主主義・人権」の旗をふりかざしている。スターリン主義ソ連邦の崩壊いご、アメリカ権力者どもが掲げてきたこの「民主主義・人権」などという旗は、中洋・イスラーム圏人民の血にまみれたもの以外のなにものでもない。

今からおよそ二十年前の二〇〇三年三月、イラク侵略戦争を強行したアメリカ帝国主義は、「イラクは大量破壊兵器を隠し持っている」という真っ赤な嘘を吹聴し、かつ「テロリスト殲滅」を名分としてイラクの地に劣化ウラン弾やトマホークを雨あられと投下し数多のムスリム人民を虐殺したのであった。二〇〇一年にイスラム急進主義組織が敢行した9・11ジハード自爆攻撃、これに震撼させられたアメリカ権力者がイラク侵略およびアフガニスタン侵略（〇一年十月）で殺戮したムスリム人民は、二五万人にのぼる。このみずからの血塗られた手をおし隠しながら、いままた、「民主主義・人権」「反テロ」の旗を掲げて虐殺者ネタニヤフのイスラエルを全面的に支援しているのがアメリカ帝国主義なのだ。

プーチン・ロシアのウクライナ侵略を発火点として、こんにちの現代世界は熱核戦争勃発の危機を高めている。このもとでバイデンのアメリカは、台湾併呑の策動を強める習近平・中国の策動に直面して、同盟国を総動員して中国・ロシアを封じこめるための軍事体制の強化に血眼となっている。これにくわえて、いままさに、アメリカ帝国主義が支えるシオニスト国家の軍事侵攻によって、アラブ中洋世界は新たな戦乱の炎に一挙に包まれているのである。

シオニスト権力による人民大虐殺弾劾！
反戦闘争の奔流を！

いま、エジプト、ヨルダン、レバノン、イラク、トルコなどの中洋・イスラーム圏のあらゆる諸国において、ムスリムを中心とする労働者・人民が〈反シオニズム・反米〉のアラブ民族主義の炎を燃えあがらせている。ロシア南部のダゲスタン共和国では、ムスリム人民が首都マハチカラの空港に到着したイスラエル旅客機に向かって、滑走路に突入し抗議闘争に決起した。

彼らアラブ・中洋の人民は、ヨルダン、ＵＡＥにつづいてメッカ・メジナというイスラームの聖地を擁し「アラブの盟主」を任じてきたサウジアラビア権力者までもが「アラブの大義」を投げ捨てイスラエルとの〝癒着〟＝国交樹立に走ってきたことにたいして、怒りをほとばしらせている。〝アラブ・パレスチナの大義にたいする背信〟という意味をもつこうしたアラブ諸国権力者にたいする絶望と憤激を鬱積させてきた中洋・イスラーム圏人民、彼らを覚醒させたものこそ、ハマスの対イスラエル武装闘争なのである。彼らは、「全パレスチナ解放」をめざす革命の第一歩として、ガザとヨルダン川西岸の両地区に「パレスチナ独立国家」を樹立することをその戦略とし、武装闘争を担う民兵組織とは別個に地域別・職能別の組織を創造しこれを基礎としてたたかいぬいている。とりわけ砂漠地域であるがゆえに厳しい生活を強いられているガザ地区においては、人民にたいする日常的な貧困救済・支援、教育・福祉・医療活動を基礎として、住民自治組織の内部に支持を拡げてきた。

ヨルダン川西岸地区においても、このハマスを先頭としてパレスチナ人民は続々と闘いに決起している。ヨルダン川西岸地区では、この三十年間でユダヤ人入植者が六倍超（七〇万人）にふくれあがってきた。ショッピングセンターやレストランなど豪華な施設を整えた入植地とは対照的に、占領軍によってズタズタに分断されたパレスチナ人居住区に住まう人民、あるいは難民キャンプに押しこめられている人民は、二〇〇万人が職に就くことができずに貧困に突き落とされている。

イスラエルのガザ攻撃開始いらい、ヨルダン川西岸地区では一三〇人余りがイスラエル軍によって虐殺され、一二六五人が拘束された。こうしたイスラエル官憲の凶暴な弾圧に抗して、西岸地区のパレスチナ人民は連日連夜の抗議デモに決起している。

シオニスト権力が建設を強行（二〇〇七年）した壁に囲まれた「天井のない牢獄」に十六年間も閉じこめられてきたガザ人民、みずからや父祖が生まれ育った故郷への帰還を希求するパレスチナ人民の熱き思い、これらいっさいを傲然と踏みつぶしてきたシオニスト権力とアメリカ帝国主義への積年の怒りを、いまパレスチナのムスリム人民は突きつけているのである。

古来パレスチナの地に居住してきたアラブ人民の苦難、その歴史的出発点は、米欧帝国主義国家とスターリン主義ソ連邦の権力者が結託して支えたイスラエル建国（一九四八年）にある。とりわけ、一九六七年の第三次中東戦争いご五十六年間にわたって、ガザ地区およびヨルダン川西岸を軍事占領してきたイスラエルによって、パレスチナ人民は親兄弟を、友人を奪われ、このシオニスト権力に刃向かった人民はただちに監獄に叩きこまれてきた。このイスラエルを一貫して擁護し支えてきたのがアメリカ帝国主義なのだ。

これにたいしてパレスチナ解放闘争を指導してきたPLOのアラファト指導部は、「反帝国主義・反シオニズム・反植民地主義」という理念を実現するために、「民族解放闘争の味方」と自称してきたソ連国家の経済力・軍事力に依拠して民族解放闘争を展開してきた。このPLOやエジプト、シリア、イラクなどのアラブ諸国家にたいして「経済援助」あるいは「経済＝軍事援助」という名の紐つき援助をおこない、そうすることによって中洋諸国・諸勢力を「社会主義陣営」のがわにひきつけてゆく、という後進国革命路線を、一九六〇年代～七〇年代にかけてとってきたのがスターリン主義ソ連邦のクレムリン官僚なのだ。それは、「一国社会主義」ソ連邦の防衛のためにアラブ・イスラーム圏における自国の版図を拡大するというスターリニスト官僚の意図に貫かれているものにほかならない。

一九九一年のソ連邦の崩壊いご、アメリカ帝国主義の権力者は、政治的後盾を失ったアラファト指導部を屈服させ、イスラエル国家との「共存」を謳った「オスロ合意」（暫定自治合意）をのませたのであった。パレスチナの「国境管理」「国防」にかんするいっさいの権限をイスラエルが握った「檻の中の自治」、すなわち〝二十一世紀のゲットー〟と化したパレスチナにおいて、アメリカに屈服したアラファト、そしてＣＩＡ・アメリカ権力者の正真正銘の手先と化したアッバス指導部を弾劾し、「アラブ・イスラームの共同体（ウンマ）の実現」を理念としてパレスチナ解放闘争を組織化してきたのがハマス指導部なのである。

　こうして現にうみだされているパレスチナ人民の苦難と悲劇の根底には、まさしく帝国主義とスターリン主義の相互角逐と相互瞞着という現代史の〝悪〟が色濃く刻みこまれているといわなければならない。

　すべての労働者・学生諸君！　われわれは、極悪シオニスト・ネタニヤフ政権によるパレスチナ・ガザ人民の大虐殺を弾劾する反戦の闘いを断固としておしすすめるのでなくてはならない。

「イスラエルの自衛権支持」の名のもとにネタニヤフ政権の〝ハマス殲滅作戦〟へのエールを送っている日本の岸田政権を弾劾せよ！

　アラブ・中洋人民に呼びかける。〈イスラミック・インター－ナショナリズム〉にもとづき〈反シオニズム・反米〉の炎を全世界で巻き起こせ！　イスラエルの労働者・人民よ！　ジェノサイドを強行するネタニヤフ政権を打倒せよ！

　同時にわれわれは、ウクライナ反戦闘争の一大前進をかちとるのでなければならない。ウクライナ軍が反転攻勢を開始してから五ヵ月のこんにち、厳冬期への突入を目前にひかえて、プーチン・ロシアの侵略軍はウクライナのエネルギー関連施設への攻撃を強化している。これにたいして、ウクライナ軍は、東部および南部の戦線において占領ロシア軍を叩きだし領土を奪還しつつある。

　だが、共和党内トランプ派の突きあげを受けたバイデンの民主党政権が「ウクライナへの軍事支援削減・打ち切り」への傾動を強めているもとで、ウクライナ人民の闘いは大きな困難に直面している。

　いまこそ、われわれは、〈ウクライナ反戦〉の闘いを日本の地で推進し、これを全世界に波及させるのでなければならない。

　すべての労働者・学生諸君！　ガザ人民虐殺を弾劾する反戦の闘い、ウクライナ反戦闘争の大奔流を創造しようではないか。

（二〇二三年十一月六日）

革マル派結成六〇周年

9・24 闘志みなぎる革共同政治集会

〈反帝・反スタ〉の旗高く怒濤の前進をかちとれ

九月二十四日、わが同盟は「革マル派結成六〇周年革共同政治集会」を圧倒的にかちとった。会場の松戸市民会館には全国から労働者や学生が続々と結集し、座席はまたたく間に一三〇〇人の仲間たちで埋めつくされた。

熱気みなぎるなかで司会の同志が開会を宣言した。

「二〇二三年、現代世界は熱核戦争勃発の危機のまっただなかにあります。われわれは、日本の・世界の労働者・人民が直面しているこの危機を突破する道を切り拓くために、全力をあげて奮闘しなければならない」、「革マル派結成いご六十年の節目において、わが反スタ運動の巨大な前進を切り拓く橋頭堡をうち固めようではありませんか」、と。

彼女は、本集会の直前に強行された愛知大学・名古屋大学の革命的学生と関西の労働者にたいする国家権力の不当弾圧を怒りをこめて弾劾し「逮捕された仲間をわれわれは奪還した」と報告した。「ヨ

全国の労・学1300名が結集（９月24日、松戸市民会館ホール）

シ！」すべての仲間が歓声と拍手で応えた。（本誌本号の「愛大生・名大生の住居、解放社東海支社への不当捜索弾劾！」および「関西の労働者にたいする９・９不当逮捕弾劾！」論文参照）

最初に、「戦争の時代を革命の世紀へ――革マル派六〇年の闘い」と題するビデオが上映された。日本反スターリン主義運動の勃興、ＲＭＧの創成と第三次分裂いこうの六十年間のわが闘いの歴史が鮮やかに甦る。最後に、革共同創立三〇周年にさいしての同志黒田の肉声が会場に流れる。「まさしく『地上の太陽』たるの自負をもって、われわれは断固としてたたかいぬかなければならない。」「ガンバロウ！　ガンバロウ！　ガンバロウ！」

わが運動の六十年間を凝縮したこのビデオに、すべての参加者が目を凝らして見入る。六〇年代・七〇年代の白ヘル部隊の勇姿、日本列島を揺るがしたスト権スト、謀略粉砕＝走狗解体闘争の勝利、スターリン主義の犯罪を弾劾したたかいぬいてきた革マル派の激闘、それらの映像に参加者は熱き血潮をたぎらせて万雷の拍手で応えた。

危機的現代を覆す反スタ運動の前進を！
——基調報告

会場全体が熱い闘志に包まれ、同志掛川渉が基調報告に立つ。

彼はまず、ロシアのウクライナ侵略開始いこう一年七ヵ月が経過した現在の世界情勢について提起した。

ウクライナにおいては、ウクライナ軍が二重三重の塹壕と無数の地雷から成るロシア軍の防衛線を一歩一歩突き破りつつある。前線のロシア軍は、指揮系統の崩れ・戦力の損耗・兵士の士気低下に苛(さいな)まれている。まさにそれゆえに追いつめられたロシア軍は、後方の都市や生活インフラを狙い撃ちにして住民を無差別に殺戮し、穀物積出港オデーサなどを狙って卑劣なミサイル攻撃をくりかえしている。そしていま米・欧の権力者は、それぞれの国家利害をむきだしにしてウクライナ支援を減速しはじめた。

「今こそわれわれは、＜プーチンの戦争＞をうち砕く巨大な反戦闘争のうねりを巻き起こさなければならない」——こう彼は訴えた。

そのうえで彼は、「＜プーチンの戦争＞を発火点として世界の構造は激変した」と述べ、二〇二三年世界の特質について提起した。

第一。広島・長崎への原爆投下から七十八年、世界熱核戦争勃発の危機が一挙に高まっている。

戦争狂プーチンによる「核兵器使用」のたび重なる恫喝。台湾でも米・中のあいだで一触即発の核戦争の危機が高まっている。北朝鮮はミサイル発射をくりかえし、核兵器の開発と配備を進めている。いまこのときに金正恩とプーチンが、核ミサイルと軍事偵察衛星開発をめぐる協力に合意したことは、東アジアにおける核戦争の危機をいやがうえにも高めている。しかも米・中・露各国は「使える核兵器」と称して小型の戦術核兵器の開発を競いあっている。まさに世界は、核戦争勃発の瀬戸際に立っているのだ。

第二。この戦争と大軍拡に連動して、米・欧・日の帝国主義各国とネオスターリン主義・中国との経済的争闘が激烈化している。

　ＡＩや半導体などの軍民両用の技術分野において、アメリカが中国を抑えこむための強烈な経済・技術封鎖をしかけている。またウクライナ侵略の衝撃波をうけて、帝国主義各国は「経済安全保障」を前面におしだし、中・露に依存しない排他的なサプライチェーンの構築にのりだした。かくして新たな〈経済ブロック化〉の時代が到来している。

　第三。地球温暖化による気象異常。熱波と干ばつと山火事。台風・ハリケーン・サイクロンと大洪水。南極・北極の氷の融解。これらは、帝国主義とスターリン主義による地球環境破壊の産物にほかならない。権力者どもは、この破局的な気象異常の犠牲を全世界の貧しい民衆に集中的に転嫁している。そしていま、ロシアのウクライナ侵略と殺物封鎖で〈南〉の人民の飢餓は一気に拡大している。

　こうした米―中・露激突のなかで、欧米帝国主義への積年の怨念を燃やすグローバルサウスの諸国を束ねて、インドが〝新たな大国〟として抬頭しつつある。この〈南〉の権力者たちを、「西欧式民主主義の押しつけ反対」「内政干渉反対」などを一致点にして「ＢＲＩＣＳ＋」の枠組みに抱きこもうとしているのが、中・露の権力者である。

　同志掛川は、「現代世界の矛盾がこれほどまでに惨（むご）たらしく噴出しているにもかかわらず、これを革命へと転じるべき全世界労働者階級の闘いは決定的に弱体化させられている。各国における左翼諸政党や労働運動指導部の度しがたい腐敗のゆえだ！」と断じた。

　そして渾身の力をこめて訴える。――「われわれは今こそ、一九九一年の〈歴史の大逆転〉を〈再逆転〉し、〈革命の世紀〉への突入を画した一九一七年ロシア革命の精神を甦らせて、プロレタリア世界革命に向けた大道を切り拓くのでなければならない。その戦略は〈反帝国主義・反スターリン主義〉にほかならない」と。

わが革命的左翼の任務

同志掛川は次に、今二〇二三年においてわれわれはいかにたたかってきたかを提起した。最初に、ウクライナ反戦闘争について。

⑴この戦争は、ソ連邦崩壊を「二十世紀最大の地政学的大惨事」とほざいてきた大ロシア主義者プーチンが、旧ソ連邦の版図を復活するためにウクライナという国家と民族をこの地上から抹殺せんとしてしかけた世紀の蛮行にほかならない。――このことをわれわれは、反スタ主義者としての矜持にかけて暴きだし、この蛮行をうち砕くために、沈黙し・あるいは〝プーチン擁護〟にうつつをぬかす既成指導部を弾劾しのりこえ、日本の地においてたたかってきた。また全世界の労働者・人民にたいして、各国でウクライナ反戦の闘いに決起し共に連帯してたたかおうと呼びかけてきた。

⑵われわれは、ウクライナ反戦闘争を推進するとともに・そのただなかにおいて、ロシア人民・そしてウクライナ人民にむけて、反スタ主義者としての熱烈な呼びかけを発してきた。

⑶われわれは、反プロレタリア性を自己暴露した世界の自称「左翼」にたいする断固たるイデオロギー闘争を展開してきた。核大国ロシアの軍隊によって数多のウクライナ人民が殺戮されているときに、侵略されている人民の側に立たない「左翼」などは左翼ではありえない。こうした徒輩の驚くべき腐敗を弾劾し、その根底にあるのが〈スターリン主義との対決〉の放棄にほかならないことを剔りだし批判してきたのだ。

⑷さらに六月末に惹起した「ワグネルの反乱」について、われわれはその意味を「FSB強権型支配体制の終わりの始まり」としてとらえ暴露し、ロシアの労働者・人民にむかって「今こそ〈ウクライナ侵略戦争反対―FSB強権型支配体制打倒〉の闘いを巻き起こせ!」と呼びかけた。

われわれは、このように総力をあげてウクライナ反戦闘争を推進してきた。「だが、この闘いはなお微弱である。さらに頑張ろう!」と同志掛川は呼びかけた。

そして同志掛川は、以下のように現時点の任務を提起した。

ウクライナにたいするプーチンの大殺戮戦争を断固としてうち砕く反戦闘争をさらにいっそう燃えあがらせよう。

東アジアにおいて白熱の度を高めている米・日―中・露・北朝鮮の軍事的激突―戦争勃発の危機を打ち破る革命的反戦闘争を、「米―中・露の核戦力強化競争反対！」の革命的スローガンのもとにたたかおう。

そして日米軍事同盟の対中対露のグローバル核軍事同盟としての強化に反対せよ。岸田日本型ネオ・ファシズム政権の大軍拡・改憲の総攻撃を阻止しよう。

岸田政権の増税や社会保障切り捨てに反対する政治経済闘争を、既成指導部による闘争歪曲をのりこえ創造しよう。空前の物価高騰のもとで、来る二〇二四春闘にむけて大幅一律賃上げ獲得をめざす賃金闘争をあらゆる産別でつくりだそう。

同志掛川の提起に身をのりだして集中していた満場の仲間たちは、「ヨシ！」と応える。

革マル派建設六十年の苦闘と教訓をわがものに

会場の労働者・学生の闘志がいよいよ高まるなかで、同志掛川は、わが運動の歴史的歩みをふりかえり、その諸教訓を提起した。

(1)一九五六年のハンガリー事件にたいして共産主義者としての主体性をかけて対決した同志黒田寛一によって、日本反スターリン主義運動は創成された。

革命的マルクス主義者グループ（ＲＭＧ）＝＜探究派＞の創造、これを基礎にしての反スターリン主義・反トロツキー教条主義の「二つの戦線上の闘い」。＜反帝国主義・反スターリン主義＞世界革命戦略の確立。二度にわたる分派闘争をかちぬき革共同全国委員会は発足した（一九五九年八月）。このＲＭＧの独自活動をつうじての基幹産業における革命的労働者部隊の獲得。ここに、わが党の労働者的本質は刻印された。

(2)六〇年安保闘争における国鉄労働者たちの六・

四反安保政治ストライキの実現と、瓦解した安保ブントに代わってマル学同の指導のもとでくりひろげられた全学連の支援闘争。一九六一年秋以降の「米・ソ核実験反対」の革命的反戦闘争の展開。

この新たな段階において革共同に流入したブント主義者どもは、わが同盟の基本的な運動＝組織路線および党建設路線を歪曲しはじめた。ブント主義者にオルグられた書記長・武井健人による「社共に代わる第三の潮流」路線の提起。「戦闘的労働運動の防衛のための戦術の精密化」と称する「戦術の二段階化」の誤謬。さらに＜反帝・反スターリン主義＞戦略の「反帝イズム」への歪曲。

同志黒田を先頭とする先輩同志たちは、腐敗を露わにしたこの政治局内多数派（のちのブクロ官僚）にたいして激烈な分派闘争を推進し、それをつうじて第三次分裂をかちとり、＜革命的マルクス主義派＞を結成した（一九六三年二月）。

⑶六〇年代におけるベトナム反戦闘争や反合理化闘争の大衆的展開。これを基礎として組織現実論は開拓され深化されてきた。――米・ソ核実験反対闘争のただなかで明らかにされた「運動づくりと組織づくりの弁証法」。大衆運動場面にわが同盟の組織戦術を貫徹する諸形態の解明、つまり＜運動＝組織論＞。わが同盟としての大衆運動の方針をどのようにうちだすのかということの解明、すなわち＜大衆闘争論＞。さらに、わが同盟組織を同盟組織として形態的および実体的に強化・確立していく追求にかんする理論、すなわち＜同盟組織建設論＞。

つくりだされた組織現実論をみずからの実践の解明に適用することを基礎にして、われわれは安保＝沖縄闘争などの諸闘争をたたかい、それをつうじてわが組織を強化・拡大してきたのだ。

⑷わが革マル派の前進に恐怖した国家権力による、わが仲間たちの実体的抹殺を狙った謀略襲撃の開始（一九七四年六月）。ブクロ・中核派の権力の走狗集団への転落。ことここにおよんでわれわれは、権力による謀略を暴きだすとともに、その追認役と化した走狗集団を解体するための＜謀略粉砕・走狗解体＞闘争を断固として推進した。

それと同時に革命的労働者たちは、時の三木自民党政府の心胆を寒からしめたところの二〇〇時間にわたるスト権奪還ストライキ（一九七五年十一月二十六日〜十二月三日）をうちぬいた。わが革マル派は、〈三木・自民党政府打倒〉の革命的なスローガンを掲げて、この闘争を反政府＝反権力の闘争へとおしあげるためにたたかった。これらの闘いこそは、まさに世界の階級闘争史上類例のない画歴史的な闘いであったのだ。

⑸一九九一年のスターリニスト・ソ連邦の自己解体。これにたいしてわが革マル派は、この世紀の大事件の全世界労働者階級にとっての犯罪的意味を果敢に暴きだしてたたかった。

この事態は、一九一七年のロシア革命によって切り拓かれたプロレタリア世界革命の展望をも根こそぎ清算してしまったことを意味する。それゆえにわれわれは、この〈世紀の大逆転〉を二十一世紀にむけて〈再逆転〉する闘いを、反スターリン主義者としての矜持にかけて最先頭で切り拓くことを宣言したのだ。

そして、一超軍国主義帝国の中枢をぶち抜いたムスリム戦士の二〇〇一年〈9・11ジハード自爆〉攻撃。同志黒田は、この事件の意味を直ちに「ヤンキーダムの終わりの始まり」と喝破した。そしてわれわれは、アラブ・中洋諸国のムスリム人民にむけて「イスラミック・インター‐ナショナリズムにもとづいて反米・反シオニズムの闘争を組織せよ！」と檄を飛ばしつつ、米・英同盟軍によるアフガニスタン・イラク侵略戦争に反対する闘いを断固として推進してきたのだ。

以上のように革命的共産主義運動の軌跡をたどった同志掛川は、「わが反スタ運動の革命性は何か」と提起した。

第一は、〈反帝国主義・反スターリン主義〉世界革命戦略の根底性・現代性・革命性である。

「社会主義ソ連邦」の自己崩壊という歴史的大事件に直面して、世界の自称「社会主義者」や労働運動指導部は価値基軸を喪失し、こぞって思想転向した。彼らがいま〝スターリンの末裔〟たるプーチンが強行しているウクライナ侵略と対決しえない思想的根拠はここにある。この侵略戦争をうち砕くために断固たる闘いを展開しているのは、＜反帝・反スタ＞戦略に立脚するわが革共同だけなのだ。

　第二は、組織現実論を基礎にしたわが革命運動の底力である。

　わが同盟は革マル派結成直後から、同志黒田を先頭にして労学両戦線における同志たちの組織実践を教訓化することをつうじて組織現実論を開拓してきた。これを主体化し・不断の実践に適用して、わが労働者同志たちは現にいま、今日版産業報国会たる「連合」をはじめとした既成労働運動の内側からこれをくいやぶるためにたたかっている。同志黒田と先輩同志たちの血の滲むような苦闘に支えられて創造されてきた組織現実論こそは、まさに世界に誇るべきものなのである。

　最後に彼は、同志黒田が逝去の直前に詠まれた歌を紹介した。

　＜今・此処に感得すべし「血叫び」を、敗北の世紀をくつがえさむや＞

　この「血叫び」とはソ連軍のタンクに押しつぶされたハンガリー民衆の血叫びであり、同時に、いま世界に充満する虐げられた人民の血叫びでもある。

「戦争と暗黒支配と貧困で覆われている現代世界をその根底から覆すことをめざして、わが日本反スタ運動の一層の前進を切り拓くために一致団結してともに頑張ろう！」――このようにすべての同志に訴えて同志掛川は基調報告を終えた。

　一時間半におよぶ同志掛川渉の基調報告を会場の仲間たちはガッチリと受けとめ、割れるような拍手で闘いへの決意を表した。

　ここで司会の同志が凜とした声で訴える。「ウクライナ侵略という歴史的大事件との対決において、欧州の左翼のほとんどが自滅しました。最もひどいのがイタリアのロッタ・コムニスタです。すでに八月の国際反戦集会でもその反労働者性をつきだしましたが、彼らは『ウクライナの人民はわずかな土地のために戦ってはならない』『労働者は国境を防衛してはならない』『ウクライナの偏狭な民族主義反対』などと恥ずべき言辞を弄しています。まるでプーチンの広報班ではないか！」「侵略され虐殺されている労働者・人民の側に立たないで、何がコミュニストだ！　何が国際主義だ！」と。「そうだ！許すな！」会場からは怒りの声が巻き起こる。

「ちなみにこんな『バカな左翼』に同調しているのが吹けば飛ぶような反革命・北井らです。奴らは『プーチンの戦争反対・ゼレンスキーの戦争反対・一切の武器援助反対』などと叫んでいる。この反革命分子を速やかに吹きとばしてやろう」と。「そうだ！」会場から地鳴りのような拍手がいっせいにわきおこった。

改憲阻止の巨大な闘いを創造せん
――全学連委員長

第二部の冒頭は全学連の有木委員長の決意表明だ。

彼はまず、岸田が第二次改造内閣を発足させようとしていた九月十三日に、全学連が首相官邸前で「改憲・大軍拡阻止！」「日米グローバル同盟粉砕！」を掲げて抗議闘争に決起したこと、そして軍拡二法案など反動諸法案の採決を阻止するために日共の闘争放棄を弾劾しつつ六波にわたる国会前闘争をくりひろげたことを報告した。

この闘いに恐怖した国家権力は、わが全学連の運動と組織を破壊することを狙って総攻撃を開始している。政府・警察権力と結託した愛大当局による全学連の学生にたいする「退学処分」攻撃だ。「全学連は、この岸田政権によるネオ・ファシズム的反動攻撃を木っ端微塵に粉砕するべく反撃の闘いを猛然と創造している」――このように自信に満ちて報告した彼に、満場から圧倒的な連帯の拍手がわいた。

彼は、「われわれはウクライナ反戦闘争を全力でたたかうとともに、そのただなかで、反スターリン主義運動の闘士としてみずからをうち鍛える追求をおしすすめてきた」と語った。『社会の弁証法』の「唯物史観と現代」に記された、ソ連邦の自己解体にたいする黒田さんの「心からの怒りと慚愧の念」に迫り、わがものとする努力を己に課してきた。黒田さんの訴え・そのパトスを〈プーチンの戦争〉との対決のなかで貫き、ロシア・ウクライナの地にわが反スターリン主義の運動と思想を送り届けるのだ、という決意を燃えあがらせてたたかってきたのだ、と。

最後に有木委員長は、岸田政権が秋の臨時国会において改憲条文案を策定しようとしているいま、「国会を幾重にも包囲する改憲阻止の巨大な闘いを創造するべく総力をあげてたたかおう」と力強く呼びかけた。これに満場の労学が力強い拍手で呼応する。

革マル主義で武装したケルンを!
――医療・福祉労働者

次に医療・福祉職場の労働者が発言に立った。

彼女はまず、新型コロナ感染症の「五類」への引き下げ以降に医療・福祉職場で感染が一気に増大している、「これは政府のデタラメな人民切り捨ての感染対策のゆえだ」と岸田政権を弾劾した。各医療・福祉施設の経営者も、感染対策を緩めるだけでなく、感染した労働者に、五日が経てば抗原検査で陽性になっても「職場に戻れ」と命令している。このような経営者にたいしてわが仲間は、怒れる労働者たちを組織し団結を強化してたたかっている。――こう彼女は報告した。

「全労連」の日共系指導部は、二三春闘を「医療・福祉サービスの公定価格の引き上げ」をお願いするものへとねじ曲げた。国立病院の職場では三十一年ぶりにストがうたれたが、それは住民とマスコミにむけたアピール・ストでしかなかった。ストライキを「経営者への怒りに燃えて労働組合を主体にして起ちあがった労働者たちの階級的団結を高めていく手段」としてまったく考えてもいないのが、「全労連」の日共系指導部なのだ。そのような指導部をのりこえ秋期闘争と二四春闘を戦闘的に創造する決意を、彼女は表明した。

彼女は、「スターリン批判とハンガリー動乱の勃発」に直面した黒田さんへの深い感動をもって語る。「黒田さんは書いています。――『革命的マルクス主義者としての「いのちがけの飛躍」に邁進し、史的唯物論の探究ではなく、スターリン主義を現実に打破し超克するための革命的実践に献身するにいたる』と。今、私たちが手にする書物、私たちの日々の活動を支え、反省を促す理論と組織があります。ここでいま、われわれが生きていけることに私は感謝の念がわかずにはおられません。だからこそ、ネオ・ファシズムを突き破り、〈反帝国主義・反スターリン主義〉の旗のもと、革命的実践に邁進することを私は決意します。」

この〝革マル魂〟溢れる決意表明に、すべての仲間は共感し、盛大な拍手をもって応えた。

労働戦線からウクライナ反戦を！
——沖縄自治体労働者

次に沖縄の自治体労働者が発言に立つ。

彼は冒頭、辺野古大浦湾埋め立てにお墨付きを与えた九月四日の最高裁反動判決を弾劾し、新基地建設絶対阻止の闘いを断固たたかいぬく決意を明らかにした。

さらに彼は、沖縄の一部既成指導部が「ロシアもウクライナも銃を置いて停戦を」と呼びかけていることを批判し、それをのりこえてたたかってきたと報告した。沖縄戦の悲惨な体験を基礎にうけつがれてきた「命どぅ宝」という沖縄人民の素朴な意識、これにおもねって「即時停戦」を言いつのる既成指導部と対決するために、二〇二二年五月の中央労働者組織委員会論文を学習してきた。この論文のウクライナ人民が侵略者ロシアとの戦争をたたかうことはレーニン流に言えば「正しい戦争」であるという展開、「侵略しているのは誰であり・蹂躙されているのは誰であるのか」を明確にせよという展開に学んで、既成指導部との対決を断固としておこなってきたのだ、と。

つづけて彼はこう述べた。——自治労指導部の労使協議路線のもとで沈滞する組合運動をつくりかえることを意志しつつも、組合内で「左翼的」な方針をうちだすことにあくせくするという傾向をうみだした。この傾向をのりこえるために組織現実論の再学習をおこない、組織としての腹構えを明確にして、闘争=組織戦術の解明とその組合の運動=組織方針としての具体化、わが仲間の諸活動の解明を意識的に追求してきた。「私は、このかんの運動=組織づくりの限界を一歩超えた地平を実感している」と。

最後に彼は、「私自身の自己変革をかけて内部思想闘争を実現してきた」と語り、『永遠の今』を場所的に創造するという思いで労働者組織を創造する」と決意を述べた。会場の参加者は熱烈な拍手で応える。

現代のレッドパージ攻撃を打ち砕け
——中央学生組織委員会

革共同中央学生組織委員会の同志が演壇に立った。

彼は、警察権力と結託した愛知大学の川井反動当局が強行した革命的学生運動にたいする破壊攻撃、これをうち砕くために学生戦線の総力をあげて奮闘している、と報告した。

九月六日の愛知県警による「給付金詐欺」をでっちあげての自治会役員の住居などにたいする不当捜索。これにたいしてたたかう学生たちは、学生会館への捜索を阻止するとともに、直ちに記者会見を開いて社会的な反撃を組織した。

この警察権力の弾圧は、わが仲間の「処分粉砕」の闘いによって断崖絶壁にまで追いこまれている川井学長一派への援護射撃にほかならない。これを受けて川井当局は、九月十五日に三名の学生にたいする「退学処分」を強行した。八日開票の学長選挙で惨敗した川井一派は、新学長への交替前にこの処分を強行したのだ。これにたいして学生たちはいま、果敢に反撃の闘いを創造している。

彼は言う。——川井一派が自治会役員を退学に追いこむことで自治会を潰す攻撃に出てきた以上、われわれも川井学長体制を打倒するという断固たる決断のもとにたたかってきたのだ、と。たたかう学生たちは、同志黒田が「戦後日本唯物論の堕落」のなかで言っている「実存的決断の瞬間を空間化する致命的な錯誤」、この部分を読み合わせて、「これは、ハンガリー事件とみずからの生死をかけて対決し・反スタ運動の創成へと踏みだした若き黒田さんの実存的決断をあらわしているのではないか」と論議し、「若き黒田さんのようにオレたちもたたかおう」と決意をうち固めた、と。「それこそが、予想をも超える弾圧に直面したその瞬間において、たたかう学生たちが〈果を因に転ずる〉決意をうち固め・変革的実践に踏みだしていくことができた主体的・組織的根拠なのである」――このようにわが同志は決然と語った。

彼は、この弾圧は「岸田ネオ・ファシズム政権による革命的左翼にたいする新たな治安維持法型の攻撃」であり、政府・警察権力と結託した愛大当局による「退学処分」攻撃こそは学生自治会破壊のための「現代のレッドパージ攻撃」にほかならないと喝破し、これを断固として粉砕する決意を明らかにした。

最後に彼は、「世界的大戦勃発の危機を突破し、全世界の労働者階級・人民の未来を切り拓いてゆけるのは、〈反帝・反スタ〉の世界革命戦略を高く掲げたわれわれ革命的左翼をおいてほかにはない。この革命的自覚に燃えて、今こそ日本反スターリン主義運動の前進をかちとろうではないか！」と熱烈に呼びかけた。すべての仲間たちは、意気高く「ヨシ！」と呼応し、鳴りやまぬ拍手で応えた。

司会の同志が閉会を宣言する。「私たちは、反帝・反スターリン主義の運動と組織に出会い、黒田さんの思想に感銘を受け、その思想のもとに死んで生きると決意し、粉骨砕身たたかってきたと思います。革命的共産主義者として、同志とともに学び切磋琢磨したたかいつづける。その喜びと苦闘を共有し、そして明日からの闘いにまた気持ち新たに邁進しましょう。」

シュプレヒコールとインターナショナルの斉唱をもって集会は幕を閉じた。

すべての諸君。今こそわが反スターリン主義革命的左翼の怒濤の前進のときだ。すべての仲間は決意も新たにともに前進しよう！

愛知県警の「詐欺罪」デッチあげを許すな
愛大生・名大生の住居、解放社東海支社への不当捜索弾劾！

日本マルクス主義学生同盟・革命的マルクス主義派
マル学同革マル派東海地方委員会

（1）

二〇二三年九月六日、愛知県警・公安三課は、「詐欺罪」なる容疑をデッチあげて、豊橋市の愛知大生の住居、名古屋市中区の名古屋大生らの住居、計三ヵ所にたいする不当捜索を強行した。そして、翌七日に解放社東海支社にたいする捜索をもおこなった。

なお愛知県警は、六日に愛大の反動当局者に先導されるかたちで、豊橋校舎学生会館・学生自治会室の捜索をも強行しようとしたが、自治会委員長のたたかう学生がこれを撃退した。たたかう学生が捜索令状に記載された学生会館の住所が間違っていることを的確につかみ、「不当捜索は絶対に許さない」と警察権力を二時間以上にわたって追及し、自治会室に一歩も入れさせずに学館捜索をうち砕いたのである。

われわれは、革命的学生運動を破壊することを狙った警察権力による愛大、名大の学生自治会役員にたいする不当捜索を怒りをこめて弾劾する！「詐欺罪」を捏造した治安維持法型の弾圧を断じて許しはしない。

マル学同東海地方委員会に指導された愛大のたたかう学生は、名古屋大学のたたかう学生とともに、岸田政権が警察権力を動員して強行したネオ・ファシズム的な弾圧攻撃を粉砕するために、そしてまたこの政府・警察権力と結託した川井当局による「退学処分」攻撃をうち砕くために、秋学期を迎えた愛大キャンパスにおいて総力をあげて闘いを創造している。

権力と結託した川井当局の自治会役員「退学処分」弾劾！「現代のレッドパージ攻撃」を全学連の総力で粉砕せよ！

（2）

愛知県警・公安三課は、愛大生、名大生ら学生が、二〇一七年に名古屋市からの「臨時福祉給付金（一万五〇〇〇円）」について、「税法上の扶養親族等」に該当するにもかかわらず、故意にそれを偽って名古屋市に申請し、給付金を受け取った「詐欺」などという容疑で、捜索をおこなった。だがその「容疑」なるものは、公安三課が捏造したもの以外のなにものでもない。

学生たちは、名古屋市当局から「給付金の対象となる方に申請書をお送りいたします」とはっきりと記された「申請書」が自宅に送られてきたので、その申請書を自治体宛てに送り返しただけのことである。

その申請内容に何らかの不備があったのならば、自治体は申請者にそれを指摘し・返還請求をおこなわなければならない。その返還請求の時効は「五年」と法律で定められている。だがしかし、名古屋市当局は六年後のこんにちにいたるまで返還をもとめる業務をおこなわなかった。

にもかかわらず公安三課は、突如として「詐欺罪」を無理矢理にデッチあげて捜査を開始したのである。

もとより、「税法上の扶養親族等」に学生たちがなっているか否かは、所得税納付の手続きをおこなう主体たる親しか知りえない情報である。その情報を子息である学生たちは関知していなかったにもかかわらず、警察権力は「故意に自治体を欺いた」などと「詐欺罪」をデッチあげたのだ。まさにそれは、愛大や名大の自治諸団体の役員である学生たちにたいする政治的弾圧を目的とした不当極まりない「罪」の捏造にほかならないのである。

愛大のたたかう学生は、名大生とともに、愛知県警による家宅捜索の不当性を暴きだす社会的な反撃にただちにうってでた。捜索の翌日の九月七日に豊橋市内で、代理人弁護士とともに記者会見を開催した。この記者会見には、このかん愛大生の川井当局にたいする闘いを報じてきた県下の四社が駆けつけた。

記者会見では、「詐欺罪」の容疑で不当捜索をうけた学生が、その不当性をあますところなく暴露した。

この記者会見に参加したジャーナリストたちは、「警察は何の詐欺だというのですか」「なんで公安が動いているのか」「警察の捜査はあまりにも異常だ」と口々に批判・疑問の声をあげたのである。

〔そして、三人の学生の親たちもまた「警察はウソをついている」と異口同音に怒りを表明している。なおこうした反撃に包囲されて、警察は容疑者の逮捕は今もなおおこなっていない。〕

こうして社会的にも公安警察の弾圧のファシズム性を暴露する追求をおこなってきた学生たちは、警察権力による「全学連活動家＝詐欺集団」などというフレームアップを決して許すことなく、公安警察と川井当局にたいする社会的包囲網を着々とつくりあげてきたのである。

（3）

愛知県警・公安三課による愛大生・名大生ら三名にたいする家宅捜索は、愛大の学長選投票日（九月五日）の翌日に強行された（開票は八日）。川井学長一派がおしたてた「後継候補」の敗色がいよいよ濃厚となったこのタイミングでなされた不当捜索は、同時に警察権力がこうした援護射撃をしなければならないほど川井当局が断崖絶壁にたっていることを白日にさらすものであった。

事実、この不当捜索の二日後の九月八日には、愛知大学の学長選の開票がおこなわれ、「川井後継候補」で自治会弾圧の先鋒にたってきた小林副学長が、対立候補に惨敗を喫した。たたかう学生たちを先頭とした愛大自治会の二ヵ月におよぶ「退学処分反対」「川井反動体制打倒」の大衆的な闘いの大爆発によって、そしてこれと共振するかたちでの川井当局にたいする教職員からの怒りの噴出によって、学生自治会破壊に狂奔してきた川井反動体制をついに粉砕したのだ。

だがしかし、十一月までのわずかな任期を残すだけとなった「死に体」の川井学長一派は、姑息にも九月十五日に自治会役員三名にたいする「退学処分」を強行した。「ウクライナ反戦のデモに自治会幟を掲げた」「学費値上げ反対の看板をだした」ことを「処分の理由」にして！　川井一派は、学長選での敗北が必至と見るや、警察権力にすがりついて自治会への政治的弾圧を懇願し、そして権力による不当捜索を導き入れたその手で「退学決定」をおこなったのである。

まさにこのことにこそ、愛知県警の不当捜索と川井当局による退学処分が文字どおり一体のものであり、それらは警察権力と川井当局とが固く結託しての学生自治会破壊を狙った未曽有の大弾圧にほかならないことが赤裸々となっているではないか。

われわれは、警察権力と結託した川井学長一派による「退学」攻撃を満腔の怒りをこめて弾劾する。

愛大自治会のたたかう学生は、サークル員たちとともに、これを粉砕する闘いを大爆発させることをここに宣言する。

（4）

これほどまでに川井反動当局を追いこんだのは、

いうまでもなく愛大のたたかう学生たちが多くのサークル員を組織しつつ創造してきた「川井反動体制打倒」の巨大な闘争にほかならない。

六月三十日付で川井学長名の「退学予定通知」を自治会役員三名にたいして突きつけられて以来、たたかう学生たちは「退学処分反対」の闘いをキャンパスから大きくつくりだしてきた。川井学長一派が吉村委員長ら自治会役員を「退学」に追いこむことで学生自治会を破壊するという攻撃にでてきた以上、われわれも「川井学長一派の首をとる闘い」にうってでる。このように決断して、愛大のたたかう学生は「川井反動体制打倒」の闘いを学生自治会を主体にして全力で推進してきたのである。

七月十七日の自治委員会においては自治委員の総意で吉村君を自治会委員長に再選出するとともに、吉村君らへの「退学処分」攻撃に大衆的に反撃する方針を全会一致で確認。それ以後、音楽系サークルを中心とする各サークルから「川井当局による退学処分反対」「川井反動体制を刷新しよう」の声がうねりのように巻き起こっていった。

このたたかう愛大生には、北から南まで全国の大学生たちから「自治会役員の退学処分を私たち全国の学生は許さない」「川井学長に負けるな」というメッセージが怒濤のように寄せられた。「退学処分粉砕」の愛大闘争は、全国学生の共通の闘いに発展したのだ。

そして、労働戦線の深部でたたかう全国の労働者からも檄布・檄文が次々と寄せられた。たたかう愛大生は、悪辣な労働組合破壊をうち砕く闘いを不屈の精神で創造してきた労働者から直接届けられた熱い檄をみぞおちでうけとめて、沸騰する酷暑のまっただなかで闘志を燃やして全力でたたかってきたのである。

この愛大生の闘いの息吹は、教職員にも広く浸透していった。学生たちが所属する文学部の教授会(七月二十日)で、約半数の教員が「退学反対」の票を投じ、その議事録を学長にあげることが決定された。このことに象徴されるように、教職員からも「処分反対」の声が噴きあがったのである。それは学長選で、「退学処分」を主導してきた小林副学長が大惨敗を喫するというかたちで劇的に示されたのであった。

そしていま、政府•警察権力と川井当局との黒い結託を暴きだす愛大生のイデオロギー的＝組織的闘いは、学生にとどまらず教職員のなかにも広く浸透していき、「政府•警察と川井当局との黒い結託を断ち切れ」の声がキャンパスから轟きわたっているのだ。

たたかう学生を先頭とする愛大自治会は、昨二〇二二年五月二十六日に川井当局が「学生会館の管理運営権の学生からの剥奪」「学生自治会費の委託徴収の廃止」を一方的に宣言して以来、これをうち砕くための学生自治会運動を一年四ヵ月にわたってキャンパスから断固として創造してきた。

学長の宣言からわずか二週間後の昨年六月九日には、四〇〇名の学生を結集して学生大会を実現、その直後には約二〇〇名の学生たちが幟を林立させて本館にむけてデモを敢行。そしてその二週間後の六月二十三日にも、再び約二〇〇名の学内デモを敢行した。

このような闘いとともに、学生が「47協定」にもとづいて学生会館•サークル棟を自主的に管理していく組織的な闘いをもおしすすめてきたのである。

こうした学生自治会の大衆的な反撃の闘いに追いつめられた川井当局は、「学内集会•デモの禁止」「違反した者の処分」を明記した「施設使用規程」を一方的に施行した(昨年十一月)。

このファシズム的な弾圧規程をデッチあげた川井当局にたいして、昨年十二月十三日には、サークル•部活など三十六団体の代表約八十名が結集して、学生自治破壊に反対する闘いを全国の学生と連帯しておしすすめることを確認した。そして翌年初頭には、学生自治会の総意にもとづいて、裁判闘争や人権救済申し立てをもおこなってきたのである。

こうした闘いにまたしても追いつめられていった川井当局が、「処分」をふりかざして自治会のリーダーにたいする「警告」攻撃を開始したことにたいしても、学生大会(今年六月八日)に一五五名が結集して、「コロナ前のような完全な愛大祭の実現」とともに「処分をふりかざした自治会委員長にたいする警告弾劾」を学生の総意に高め、反撃の闘いを創造してきたのである。

こうした全国でも突出した規模での壮大な闘いを一年四ヵ月にわたって営々と創造してきた愛大自治会。この学生自治会を潰すためには、役員を「退学」に追いこむ以外にないと――警察権力との共謀のうえで――策謀したのが川井当局にほかならない。だがしかし、このウルトラ反動攻撃にたいしても、先述したように、愛大のたたかう学生たちは「川井反動体制打倒」の闘いをキャンパスから大きく創造してきたのである。

そしてそのただなかで、川井当局が「彼らは革マル派だから排除するのは当然」とうそぶいていることをつかんだたたかう学生たちは、むしろこれを最大限に利用して「革マル派だからこそ、岸田政府・警察権力と結託した川井当局のネオ・ファシズム的な攻撃に立ち向かうことができるのだ。革マル派とともに起とう」と学生たちに訴え、わが革命的左翼にたいする圧倒的な共感をつくりだし・たたかう戦列を拡大しているのである。

まさにこの革命性と大衆性のゆえに、愛大自治会とその中心的な担い手であるたたかう学生にたいしては、川井当局とそれを支えてきた権力からの憎しみに満ちた集中的な弾圧が仕掛けられているのだ。

愛大のたたかう学生たちはいま、川井反動一派が忌み嫌う真紅の愛大自治会旗を公然と高く掲げつつ、断末魔の反動当局者とこれを支える警察権力にたいする闘いを断固として巻き起こしている。全国の全学連のたたかう学生も、たたかう愛大生にたいする支援闘争に起て！

（5）

全学連活動家である学生にたいする警察権力の不当捜索こそは、岸田日本型ネオ・ファシズム政権による革命的左翼にたいする治安維持法型の攻撃にほかならない。岸田政府・文部科学省ならびに警察権力は、学生戦線において権力の走狗ブクロ派はもちろんのこと日共＝民青も完全に雲散霧消したなかで、ひとり学生自治会や文連を守り発展させ革命的学生運動の前進をきりひらいている全学連への階級的憎悪をたぎらせている。まさにそれゆえに、キャンパスからウクライナ反戦闘争、大軍拡・憲法改悪に反対する闘争を創造している全学連の運動とたたかう学生の組織を破壊するための総攻撃にうってでているのである。

ロシアのウクライナ侵略を震源として、東アジアでもアメリカ・日本・韓国と中国・ロシア・北朝鮮との政治的・軍事的角逐がいっそう激化している。朝鮮半島、台湾、南シナ海では熱核戦争の勃発の危機が高まってさえいるのだ。

こうした東アジア情勢の緊迫のもとで、日本帝国主義の岸田政権は、バイデン政権と日米軍事同盟を飛躍的に強化し・大軍拡をおしすすめるとともに、大学を軍事研究や国策研究の拠点たらしめるための国家的統制を強めている。大学から戦争政策や軍事研究に反対する反体制的な運動を根絶するための攻撃を強めているのが政府・文科省なのだ。

愛知大学の川井学長一派は、この政府・文科省ならびに警察権力と結びつきを強めつつ、しかも学内の日本共産党系教員のなかの反動的な部分を抱きこんで学生自治会にたいする狂乱的な弾圧をほしいままにしてきた。そのなかで自治会役員を「退学」に追いこむために「えん罪」に陥れる陰謀をも駆使してきた。まさにそれは、「四位一体での現代のレッドパージ攻撃」にほかならないのである。

いま不眠不休でおしすすめられている愛知大学、名古屋大学のたたかう学生たちの闘いは、学生戦線において国家権力やその軍門に下った反動当局と対峙する最前線の闘いである。全国のたたかう学生はいまこそ、東海地方のたたかう学生と団結をいっそう強め、「現代のレッドパージ攻撃」を粉砕する闘いにともに起ちあがれ！　革命的学生運動を破壊する暴風をうち破って全学連運動のさらなる前進をきりひらくために奮闘しよう！

わがマル学同革マル派は、すべてのたたかう学生たちの最先頭で、現下の闘いを牽引する決意である。

（二〇二三年九月十七日）

関西の労働者にたいする 9・9不当逮捕弾劾！

治安維持法型弾圧を打ち砕け

二〇二三年九月九日、大阪府警は反戦平和運動にとりくみ労働組合運動をすすめている滋賀県湖南市在住の介護労働者Aさんを「電子計算機使用詐欺」などという容疑で不当にも逮捕し、今なお府警本部に勾留しつづけて連日長時間にわたる「取り調べ」を強行している（九月十七日現在）。また府警は逮捕と同時にAさんの自宅や職場を家宅捜索したのみならず、Aさんを「革マル派活動家」と見たてて、解放社関西支社などへの捜索をも強行したのだ。

驚くべき刑事事件のねつ造

大阪府警は、昨年四月から今年四月までの一年間に、Aさんが「不正乗車」を四回くりかえして合計八九〇円分の運賃支払いを免れたなどとえがきだし、これを「詐欺行為」だと決めつけている。許しがたいことに、Aさんに着せられた「電子計算機使用詐欺」などという容疑は、府警によって完全にねつ造されたものなのだ。

たとえば今回の「被疑事実」には、次のようなものがあげつらわれている。

Aさんは自宅の最寄り駅であるJR線のX駅で新大阪駅までの乗車券を購入し列車に乗車。途中で新快速電車に乗り換え新大阪駅でいったん下車した後、今度は同駅で反対方向に向かう普通列車にふたたび乗り換えて数駅分Uターンし、目的地であるY駅で降りた。AさんはそこでX駅で購入した乗車券を自動改札機に投入して改札口を通過した――。

大阪府警は、新大阪からY駅までの旅客運賃、一六〇円を「財産上不法の利益」などとみなし、この少額の運賃を不正に得るために、Aさんは「虚偽の電磁的記録」を自動改札機に読みこませたなどというストーリーをデッチあげているのだ（他の三回もこれとほぼ同じ）。

右のような「折り返し乗車」――二枚の乗車券を使い途中の運賃をごまかすいわゆる「キセル乗車」とは異なる――は巷で頻繁におこなわれている。しかも鉄道会社が「折り返し乗車」をした乗客に運賃不足分を支払わせた例などほとんど皆無である。この世上ありふれた行為が、十年以下の懲役刑が定められている「詐欺」という極めて重い罪として刑事事件化され、しかも任意の捜査を経ることもなく、いきなり逮捕や家宅捜索などの強制捜査の対象とされるなどということはかつてなかった。だが府警は、通常ならば微罪にも問えないことを無理矢理に事件化するために、「被疑事実」の冒頭に、Aさんは

「革マル派の活動家である」などとあえて書きこみ、本件をあたかもわが同盟の組織的犯行であるかのようにえがきだして強制捜査を強行したのだ。極めて政治的な不当弾圧にほかならない。

事実、府警のデカどもは、Aさんの行動を把握するために長期間にわたってAさんを直接尾行し、監視カメラの映像データを解析し、SNSや電話の盗聴などの手段を駆使するなど、事件をデッチあげるために徹底的な監視体制をとったのだ。

ちなみに、右のようなAさんの乗車のしかたは、そもそも「電子計算機使用詐欺」罪を構成する要件に当てはまらないのであって、これを犯罪に問うこと自体がまったく不当である。「電子計算機使用詐欺」罪が成立するためには、自動改札機に「虚偽の電磁的記録」を読みこませ「財産上不法の利益」を得たとしなければならない。しかも故意性の有無が犯罪成立の条件とされている。

だが第一に、Aさんが目的地のY駅の自動改札機に読みこませた乗車券記録（乗車駅と乗車時刻と有効乗車区間）には何ら「虚偽の情報」は含まれていなかった。第二に、自動改札機の側にも乗客が乗車した途中の経路をチェックする機能がなかったし、駅構内には「折り返し乗車」した場合に駅員に通告して精算手続きをするように乗客に求める掲示の類など、乗客への告知も一切なかった。そして第三に、AさんはY駅までに足りる金額の乗車券を自動改札機に投入し自動改札機が開扉したから改札口を通過したまでであって、そこに「財産上不法の利益」を得ようとする「故意」などありはしなかった。加えて府警があげつらう「不法の利益」なるものは極めて微々たる金額にすぎない。

明らかに府警は、政治的思惑にもとづいてAさんをデッチあげ逮捕し長期間にわたって不当に勾留しているのだ。

ネオ・ファシズム的弾圧を粉砕せよ

警察権力は、反戦平和や原発再稼働反対などを訴え労働組合運動に熱心にとりくんできたAさんに「革マル派活動家」と烙印し、革マル派が組織的に「不正乗車」をくりかえしているかのようなフレームアップをおこなった。警察権力のリークを受けて一部のマスコミは「警察が革マル派の組織の解明を進めていたところ、今回の容疑が浮上した」などと、今回の事件の背景と権力の狙いをあけすけに報じてもいる。今回の事件はわが同盟を標的にした治安維持法型の弾圧にほかならないのだ。

大軍拡と改憲に向けて突きすすんでいる岸田日本型ネオ・ファシズム政権は、強権的な支配体制をいま一段と強化し、政府の戦争政策に唯一立ち向かうわが同盟革マル派に集中的に弾圧を振り下ろしてきている。今回の大阪府警による労働者Aさんにたいする不当逮捕は、愛知県警による東海地方のたたかう学生たちにたいする弾圧と同時に強行された。このことは、国家権力中枢の指令のもとに一斉攻撃が開始されたことをしめしている。

すべての労働者・学生諸君、われわれは革命的警戒心を発揮し、一切のネオ・ファシズム的攻撃を打ち砕き、反戦・反安保・反改憲の闘いをさらに前進させようではないか。

熱核戦争勃発の危機を突き破れ
大軍拡・改憲・安保強化の総攻撃を打ち砕け
ウクライナ反戦闘争の高揚をかちとれ！

中央学生組織委員会

中央学生組織委員会は、すべての全学連のたたかう学生に、全国のたたかう労働者のみなさんに訴える！

岸田政権はいま、辺野古・大浦湾の埋め立て＝米海兵隊新基地建設、米国製巡航ミサイル「トマホーク」の日本国軍への前倒し配備をはじめとする反動攻撃を、強権をふりかざして矢継ぎ早にふりおろしている。

没落軍国主義帝国アメリカのバイデン政権につき従って、対中国の先制攻撃体制の構築とそのための日本列島の軍事要塞化に猛然と突き進んでいるのが岸田政権にほかならない。

今こそ、「反安保」を放棄した日共系反対運動をのりこえ、辺野古新基地建設・大軍拡の総攻撃を打ち砕く反戦反安保の闘いの全国的うねりを巻きおこせ！　台湾をめぐるアメリカ・日本・韓国と中国・

全学連・反戦の白ヘル部隊が首都中枢をデモ（10月15日、東京・霞が関）

ロシアの軍事的応酬反対！　朝鮮半島における米・韓・日とロシア・中国に支えられた北朝鮮との相互対抗的軍事行動に反対せよ！　東アジアにおける熱核戦争＝第三次世界大戦勃発の危機を突き破れ！

　米下院において「ウクライナへの軍事支援予算」が削りおとされた「つなぎ予算案」が可決されたことに示されるように、アメリカからウクライナへの軍事支援打ち切りの傾動はますます強まりつつある。これにほくそ笑むプーチンは「米欧の支援が止まればウクライナは一週間しかもたない」などとほざきながら、ウクライナ諸都市への無差別攻撃＝人民大虐殺に狂奔している。

　今こそわれわれは、怒りに燃えて、〈プーチンの戦争〉を打ち砕くウクライナ反戦闘争の炎を燃えあがらせるのでなければならない。この闘いを全世界に波及させるために奮闘せよ！

　このときに、日本共産党の志位指導部は、「安保・自衛隊」問題や「ウクライナ侵略」問題をめぐる党内対立のゆえに、いっさいの反戦の運動から召還しているありさまだ。「連合」の芳野指導部は改憲・大軍拡の推進を下支えする今日版「産業報国会」たるの姿をむきだしにしている。

この既成指導部の腐敗を弾劾し、岸田政権によるネオ・ファシズム的な攻撃を打ち砕く闘いに総決起せよ！　岸田日本型ネオ・ファシズム政権の打倒めざして前進せよ！

すべてのたたかう学生・労働者は、全国各地における10・15―22労学統一行動の戦闘的爆発をかちとれ！

Ⅰ　熱核戦争の危機高まる現代世界

A　東アジアにおいて熾烈化する米―中・露の角逐

東アジアにおいては、台湾を包囲する威嚇的軍事行動を強める習近平のネオ・スターリン主義中国と、この中国をおさえこむ軍事態勢の構築を同盟諸国を動員しておしすすめているバイデンのアメリカ帝国主義とが激しく角逐している。

二〇二三年十月四日、米国防長官オースティンは、訪米した日本の防衛相・木原稔とのあいだで、米国製巡航ミサイル「トマホーク」二〇〇発の日本へのひきわたしを一年前倒しして二〇二五年度から実施することを合意した。米日両権力者は、中国による「台湾侵攻」を阻止し・打ち破る軍事態勢の構築を、「日本の役割」を拡大するかたちで急ピッチでおしすすめているのだ。

こんにちバイデン政権は、保守強硬派グループ「フリーダム・コーカス」を抱えこんだ共和党と民主党との抗争の末に「ウクライナ軍事支援予算」の〝打ち切り〟に追いこまれている。前大統領トランプを支持する保守強硬派が演出した「つなぎ予算」をめぐる〝乱闘〟に示された、アメリカ帝国主義のいっそうの荒廃ぶり。それを眼前にして、〝このままではアメリカの「対中抑止力」も低下するのではないか〟と危惧しながら、バイデン政権にたいしてトマホークの前倒しの提供を求め、さらに自前の長射程ミサイルの開発も前倒しすることを提案したのが岸田政権であった。この日本側からの申し出を「歓迎」し・これを利用して、日本がたち遅れている「情報保全」「サイバーセキュリティ」分野の抜本的改善を「同盟の根幹」の名のもとにねじこんだのがバイデン政権にほかならない。

まさに今回の日米防衛相会談は、アメリカ権力者に安保の鎖で縛られた「属国」日本の岸田政権が、没落著しい軍国主義帝国アメリカのバイデン政権にたいして、「台湾有事」とあらば日本こそがアメリカの先制攻撃体制の一翼を担い先陣を切る構えを示し・そのための資金も献上する（ミサイルの爆買い）というように、いわば「子分」が「親分」を支えるというこんにちの日米軍事同盟の姿を象徴するものとなったのだ。

こうして米日両権力者は、「日米同盟の抑止力・対処力」の名のもとに対中国の準臨戦態勢を一挙に強化している。とりわけ台湾にほど近いばかりでなく、中国軍が西太平洋に進出するさいに必ず通過することになる南西諸島――これを対中国の軍事要塞としてうち固めることを眼目とした軍事行動に拍車をかけているのだ。「EABO（遠征前進基地作戦）」という名の軍事作戦構想にもとづく日米合同演習「レゾリュート・ドラゴン」（十月十四～三十一日）を、米日両権力者は今年初めて〝主戦場〟とみたてた南西諸島を主舞台として強行しようとしている（過去二回は東日本で実施）。この演習計画においては、

目　次

台湾の目と鼻の先に位置する与那国島・石垣島に米日統合軍を展開させる作戦が組みこまれているのだ。

この「レゾリュート・ドラゴン」とほぼ同時的に、バイデン政権は、フィリピンのルソン島近海において、「対潜水艦戦」をはじめとする米比両海軍の合同軍事演習を強行している(十月二〜十三日、日本・イギリス・カナダの海軍も参加)。台湾島を東(日本の南西諸島)と南(ルソン島)から挟みこむかたちで中国軍を撃破する軍事態勢を構築するために、バイデン政権は、スカボロー礁の領有権をめぐりその実効支配をたくらむ習近平政権とこの中国に猛反発するフィリピンのマルコス政権との対立につけいって、マルコス政権との軍事的協力関係を強化する策動を一挙におしすすめているのだ。

同盟諸国を総動員して対中国の軍事的包囲網の形成を急ぐバイデン政権。これにたいして、中国の習近平政権は、みずからの手で「祖国統一」「台湾併呑」をなしとげるという「中華民族の復興」に向けた野望を燃やしながら対抗している。

空母打撃部隊を動員して台湾島を包囲する「奇襲攻撃訓練」という名の軍事行動をはじめとして、米第七艦隊およびアメリカ同盟国軍による軍事介入を打ち砕き台湾を一挙に制圧するという軍事作戦計画にもとづく「台湾侵攻」の予行演習をくりかえしているのが中国権力者なのだ。中距離ミサイルや極超音速兵器の開発・配備などの核戦力の強化に狂奔しながら。

こうした軍事行動をくりかえすことによってネオ・スターリニスト習近平の政権は、台湾の労働者・人民にたいしては、〝来る総統選で民進党政権の継続を選択するならば台湾は戦火に覆われるぞ〟という露骨な恫喝をかけているのである。

それだけではない。習近平政権は、史上初めてアメリカ・アラスカ沖のベーリング海において中露両海軍艦隊による対潜水艦戦演習を実施するなど、プーチン政権との対米の軍事的結託を強めている。さらに政治的には、このロシアと組んで、反米のシーア派国家イランを――「戦略的自律」を掲げるインド・モディの反対にもかかわらず――「ＢＲＩＣＳ」に加えるというように、反米の国際的包囲網の形成にも躍起となっているのだ。

対外的な強硬策をとる習近平政権は、だがしかしその足元では、深まりゆく経済危機に見舞われている。不動産市場の長期低迷と地方政府の財政危機の深刻化、さらには米政府の半導体規制という「見えない弾道ミサイル」のダメージの深まり……。

中国経済の破局に向かっての危機の深刻化があらわになりつつあるなかで、「一帯一路」と称する中国主導の経済圏を構築せんとする習近平政権による対外投資の規模もしぼんでいる。この中国は、「債務の罠」に苦しむ途上諸国からの反発に直面して、「シルクロード」寸断の危機に逢着しているのだ。

いまや中国の若者の失業率は公式発表でも二〇％をはるかに超えている（実際は四〇％ともいわれている。どんどん増加するので発表を停止した）。これほどに、労働者・人民を貧窮のどん底に叩きこみながら、莫大な国家資金を核戦力の強化や半導体の国産化などの国策に集中的にふりむけているのが習近平政権なのだ。外に向けては「中華民族の復興」をなしとげるという反米ナショナリズムを鼓吹しつつ、「台湾併呑」に向けた軍事的強硬策に、そして南シナ海の南沙・西沙諸島を軍事要塞化する策動にいっそう拍車をかけているのである。

まさにいま、「台湾の中国化」をめぐる米・中の軍事的角逐はいっそう緊迫の度を強めている。これと時を同じくして軍事的緊張が一挙に激化しているのが、朝鮮半島情勢にほかならない。

九月十三日に極東ロシアのボストーチヌイ宇宙基地でおこなわれた露朝首脳会談において、ロシア大統領プーチンと北朝鮮の朝鮮労働党総書記・金正恩は、「戦略的および戦術的な軍事協力の推進」をうたいあげた。プーチンは正恩に軍事偵察衛星や原子力潜水艦の開発にかんする技術支援を約束し、正恩は北朝鮮の砲弾・弾薬などのさらなる提供および北朝鮮人民の労働力としての提供というプーチンの要求に応じたのであった。

この露朝首脳会談は、ウクライナ軍事侵略によって「亡国化」がすすむプーチンのロシアが、自国人民を飢餓におとしいれている〝破産国〟北朝鮮からの軍事援助にすがらざるをえないほどに断崖絶壁にたたされていることを全世界にさらけだしたのである。

ロシアとの軍事協力の合意によって金正恩政権は、米本土を攻撃しうる大陸間弾道ミサイルの獲得に、さらには韓・日に照準を合わせた戦術核兵器の獲得に、独自開発の期間を飛びこえて一挙に近づいた。このゆえに金正恩は、憲法に「責任ある核保有国」と新たに明記し、「(北朝鮮の核戦力は) 誰も手出しできないように、国家の基本法として永久化された」などと宣言したのである。

この金正恩政権にたいして、十年ぶりとなるソウルでの軍事パレードの挙行(九月二十六日)をもって応えたのが、韓国大統領・尹錫悦であった。このパレードにおいては、在韓米軍部隊とともに行進する韓国軍部隊が、「三軸体系」(先制攻撃・ミサイル防衛・報復攻撃) と称する先制攻撃体制の要をなす長距離ミサイルを初公開するという演出がこらされた。「北朝鮮が核を使用したなら、圧倒的な対応で政権を終息させる」(軍事パレードを閲兵した尹錫悦の演説) と叫びながら、アメリカ帝国主義のバイデン政権とともに対北の臨戦態勢を一挙に強化しているのが尹政権なのだ。

対北軍事的強硬策を鮮明にしているこの尹政権、および日本の岸田政権とのあいだで、バイデン政権は「核協議グループ」なるものの運用を開始し、対北朝鮮の核戦争遂行計画のねりあげを急ピッチでおしすすめている。

こうしていま東アジアにおいて、台湾および朝鮮半島を焦点として、三角核軍事同盟の構築・強化に走る米・日・韓と、「アジア版NATO反対」でそろい踏みしている中・露・北朝鮮の権力者どもが軍事的角逐を熾烈にくりひろげている。この軍事的角逐は、軍事利用可能な最先端技術開発のための半導体や稀少鉱物の輸出規制・囲いこみ競争や、「グローバル・サウス」諸国のからめとり合いといった政治的・経済的角逐とも結びついて、いよいよ激化しているのだ。このゆえに熱核戦争＝アジア発の第三次世界大戦勃発の危機が高まっているのである。

B　ウクライナの反転攻勢とプーチンの断末魔

十月三日、米下院議会において、共和党内の「フリーダム・コーカス」に属する議員が発議した「下院議長マッカーシー（共和党）の解任」動議が可決された（民主党議員も全員賛成）。ウクライナ支援額をバイデンの要求額から大幅に引き下げたマッカーシー作成の予算案にさえ強硬に反対し「支援額ゼロ」をねじこんだ「フリーダム・コーカス」。この共和党〝トランプ派〟が、「つなぎ予算案」の成立のために民主党との妥協の道を選んだマッカーシーを下院議長の座からひきずりおろしたのだ（米下院議長の解任・失職は史上初）。まさにそれは、軍国主義帝国アメリカの政治的荒廃をまたしても全世界にさらけだした。

内紛の末にいよいよ〝トランプの党〟として純化しつつある共和党は、大統領選挙が近づくにつれてよりいっそう「ウクライナへの軍事支援の停止」をバイデンの民主党にゴリ押ししてゆくにちがいない。このゆえに、すでに「つなぎ予算」でゼロになった軍事支援予算の復活はいよいよ遠のき、軍事支援打ち切りへの傾動はますます強まりかねないのである。

欧州とりわけ旧東欧諸国のなかからも、ウクライナ軍事支援を打ち切る動きがあらわれはじめている。「ウクライナへの援助停止」を公約とする親露政党が議会選で第一党の座を占めるにいたったスロバキア、ウクライナ産穀物の輸入制限問題に端を発して「これ以上ウクライナに武器は送らない」と首相が言明したポーランドなどがそうである。

「グローバル・サウス」の国ぐにの権力者どももまた、「ロシアのウクライナ侵略を非難する」という文言をG20サミット決議から削除したインドのモディ、南アフリカのラマポーザ、ブラジルのルラなどが、プーチンを擁護するかたちで「早期停戦」を主張している。

こうしたなかで、各国からのウクライナへの軍事支援が停止される時を待ち・それまではウクライナ軍を疲弊させることに狙いを定めているのが、プーチンとその軍隊にほかならない。この侵略者どもは、ウクライナ軍への兵站・補給を支える諸都市への無人機による無差別攻撃に、さらには厳冬期をみすえてエネルギー関連施設を標的にした攻撃に狂奔しているのだ。あまつさえプーチンは、南部ザポリージャ戦線において「第三防衛線」にまで迫ろうとするウクライナ軍の前進を阻むために、「占領地」で強制動員したウクライナ人を〝同胞殺し〟に駆りたてようとしているのだ（東・南部四州から一三万人をロシア兵として駆りだす動員令を発布）。

苦境にたたされているウクライナ軍は、九月二十二日、クリミア半島のセバストポリにあるロシア黒海艦隊司令部へのミサイル攻撃を敢行し、無防備にも雁首をそろえていた黒海艦隊司令官ソコロフ将軍以下のロシア軍指揮官・参謀連中もろともにこの司令部を吹き飛ばした。ウクライナ軍は、東・南部を占領するロシア軍へのクリミア半島からの物資補給ルートをなんとしても断つとともに、黒海における制海権の奪取、ロシア軍首脳部の「斬首」という軍事的目的の達成のために、この周到な攻撃を放ったのである。

南部ザポリージャ戦線においては、ウクライナの精鋭部隊は決死の攻勢をかけ、ロシア軍が敷いた「第二防衛線」の一角を突破しつつある。彼らは、十月後半から土地がぬかるみはじめる泥濘期の始まりが〝反転攻勢の限界〟だと米軍首脳などが公言しているなかで、当面の目標である「第三防衛線」の突破――交通の要衝トクマクの解放に向けて、歩一歩と前進しようとしているのだ。一日に一万発といわれる砲弾・弾薬を使ったロシア軍による物量にものをいわせた攻撃をまえに、少ない武器での苦難な戦いを強いられながら。

プーチン・ロシアによるウクライナ侵略の開始から一年七ヵ月、そしてウクライナ軍が反転攻勢を猛然と開始してから三ヵ月――プーチンの放ったロシア侵略軍をウクライナの地から叩きだすためのウクライナ人民の闘いは正念場を迎え、大きな困難に逢着しているといわなければならない。まさにいまほど全世界労働者・人民のウクライナ反戦闘争のうねりが求められているときはないのだ。

Ⅱ　対中国先制攻撃体制の構築に突進する岸田政権

欧州においてウクライナへの軍事侵略を強行しつづけ・人民を血の海に沈めているプーチンのロシアは、金正恩の北朝鮮に、核関連の先端技術・弾道ミサイル技術の提供にふみきるというかたちで朝鮮半島にも戦争の火種をまきちらしている。プーチンのロシアの支えで核ミサイルの獲得に突進する金正恩の北朝鮮と、三国の核軍事同盟を強化する米日韓との熱核戦争勃発の危機が高まっている。そして台湾をめぐっても、「台湾併呑」に向けた軍事態勢を急ピッチで強化する習近平のネオ・スターリン主義中国と、これをなんとか阻止しようと同盟諸国・パートナー諸国をかき集めて米軍主導の対中国軍事行動を展開するバイデンのアメリカ帝国主義とが激突する危機が急切迫している。

そのまっただなかで、アメリカ帝国主義のバイデン政権に日米安保の鎖で締めあげられた日本帝国主義の岸田政権は、〝台湾有事近し〟という危機意識に促迫されつつ、日米軍事同盟の強化、憲法改悪、日本型ネオ・ファシズム支配体制強化の一大反動攻撃に一気呵成に突き進んでいる。

岸田政権・国土交通省は、十月五日、辺野古埋め立て工事にかんする設計変更の承認を県にかわって代執行するための訴訟を起こした。「9・4最高裁判決」に従うことなく政府が迫る設計変更の承認を拒否した玉城沖縄県当局。その抵抗を最後的に押しつぶし新基地建設をおしすすめるために、政府機関たる国交省が・同じ政府機関たる防衛省の設計変更申請を・代執行で承認するという強硬策にうってでたのが岸田政権なのだ。

「反対派は動員されている」などと沖縄の反基地運動への憎悪をむきだしにしてきた防衛相・木原。これを先兵として沖縄の労働者・人民の反基地闘争を根絶やしにすることを狙った凶暴な弾圧をふりおろしつつ、年内にも軟弱地盤のひろがる大浦湾に七万本の杭を打ちこみ・沖縄戦犠牲者の遺骨の混じった土砂をも投入して埋め立てを強行しようとしているのが岸田政権にほかならない。

「一八〇〇メートル級のV字型滑走路と揚陸艦が接岸する岸壁を有し核弾薬庫を併設する米海兵隊の巨大基地の建設」――岸田政権は、バイデン政権の要求に積極的に応えて、これに狂奔している。

「十段線」を一方的に設定し東・南シナ海から西太平洋にかけて威嚇的軍事行動をとり台湾対岸に核ミサイルの槍衾を築く習近平の中国。この習近平政権は、共和党トランプ派に揺さぶられるバイデンのアメリカの老衰をにらみつつ、隙あらば「台湾併呑」にうってでんと身構えている。

この中国の軍事的攻勢をまえにして、岸田政権は、バイデン政権とともに、「台湾有事」の際に中国軍の太平洋進出を阻止し・これを撃破する軍事体制を築こうと躍起になっている。米海兵隊の新基地建設と、自衛隊ミサイル部隊の配備およびこれへの長射程ミサイルの導入とを焦点として、南西諸島の軍事要塞化にいっそう拍車をかけているのが岸田政権なのだ。

中国・ロシア・北朝鮮と最前線で対峙する日本帝国主義の岸田政権は、「親分」たるアメリカ帝国主義のバイデン政権が、トランプ一派との大統領選に向けた前哨戦をくりひろげウクライナ支援の中断に追いこまれつつあることを衝撃をもってうけとめ、「子分」である日本国家みずからが――自衛隊が米軍を補完するかたちで――アメリカ国家とともに先制攻撃を担いうる軍事強国へと飛躍せんとして突き進んでいるのである。

岸田政権はバイデン政権とともに、――日米合同軍事演習「レゾリュート・ドラゴン」に示されるように――離島奪還や長射程ミサイルの実弾射撃など実戦さながらの「軍事演習」という名の軍事行動を恒常的に展開している。そうすることで、まさに日本全土を対中国・対北朝鮮の準臨戦態勢に突入させているのだ。

こうした「プレ戦時」において臨時国会が開会されようとしている(十月二十日予定)。その会期中にも岸田政権は、巨額の軍事費(防衛省の二四年度予算概算要求では過去最大の七・七兆円）を注ぎこんで一大軍拡に突き進むと同時に、首相が労働者・人民の民主主義的権利を停止する「非常大権」をもつ「緊急事態条項」などの改憲条文案の策定を憲法審査会において強行しようとしている。

この大軍拡・改憲をおしすすめる陣形をつくりあげるために首相・岸田文雄は、国民民主党の元副代表にして電機連合の組織内議員であった矢田稚子を首相補佐官に任命するという術策を弄した。自民党副総裁・麻生太郎の〝連立政権への参画〟の甘言にのせられた玉木雄一郎の国民民主党およびこれを支える芳野友子ら「連合」労働貴族。この国民・玉木執行部と「連合」指導部をば、日本型ネオ・ファシズム支配体制の中核たる自民党の政権がすすめる大軍拡や改憲をすすんで下支えする翼賛政党・団体として深々とからめとろうとしているのが、宏池会という同じ源流をもつ岸田・麻生なのだ。〔その他方で麻生は、公明党にたいしては、「安保三文書」の閣議決定の時に「一番動かなかったガンだった」と名指しで批判し、大軍拡に異を唱えつづけるなら「切る」と露骨に恫喝しているのだ。〕

こうして岸田政権は、巨額の血税を投入しての大軍拡や辺野古新基地建設のゴリ押しにたいする労働者・人民の反対闘争を強権をふるってファシズム的に弾圧するとともに、大軍拡・改憲を推進する大政翼賛会をつくりだす追求を急ピッチでおしすすめているのだ。

岸田政府・防衛省は、自衛隊を米インド太平洋軍・在日米軍のもとに完全に融合一体化させるという米政府の追求に応えて、自衛隊に陸海空宇宙の統合部隊を指揮する常設の「統合司令部」を創設することに踏みだしてもいる〔来年度末にも市ヶ谷の防衛省に二四〇人体制で発足〕。

台湾をめぐる中国との激突を構えて、対中最前線部隊である在日米軍に戦時に統合部隊を指揮する権限をもたせ・この在日米軍に「属国軍」たる自衛隊を完全に組みこむことを策しているバイデン政権。これに岸田政権は全面的に応えているのだ。それは、台湾をめぐる中国との戦争を構えて、米日の両軍が統一の軍事司令部のもとで指揮・命令系統を完全に一体化させることを意味する。

そればかりではない。いま岸田政権・自民党は、「戦う覚悟をもて」(麻生の台湾での演説)などと「進軍ラッパ」を吹き鳴らしながら、「台湾有事」において日本国軍が米軍とともに軍事作戦を遂行しうる国家へと大改造する諸策動に一挙に踏みだしている。「継戦能力の強化」の名による武器・弾薬の国家予算を投じての大量生産、その備蓄のための弾薬庫の増設。民間空港・港湾の「特定重要拠点」指定と米日両軍が使用するための施設拡張。「政府安全保障能力強化支援(OSA)」の名による武器輸出と「殺傷力のある兵器」の輸出解禁に向けた与党協議の推進、および米英などとの兵器の共同開発。大学・企業の軍事研究への動員などがそれである。

こうした軍備大増強・軍需生産の拡大のための諸策動をおしすすめている岸田政権は、日本国家を名実ともにアメリカ国家とともに他国に先制攻撃をなしうる軍事強国へと飛躍させるために、憲法改悪に全体重をかけて踏みだしている。

岸田政権・自民党は、臨時国会における衆参両院の憲法審査会の場で、改憲翼賛の国民民主党、与党たる公明党、真正ファシストの党たる日本維新の会との連携を強化しつつ、「緊急事態条項」新設のための改憲条文案の策定に突き進もうとしている。政府・自民党は、「緊急事態」の規定に公然と「外部からの武力攻撃」を明記するとともに、首相（内閣）に「緊急政令発布」というナチス・ヒトラーばりの強権を付与することをたくらんでいる。改憲タカ派議員どもを多数擁する岸田政権は、こうした輩に「憲法に国防規定を明記せよ」と叫ばせながら、憲法第九条の明文改悪の道をひらこうとしているのだ。

まさにそれは、「交戦権否認」「戦力不保持」をうたう現行日本国憲法第九条を破棄し、「アメリカとともに戦争する国」にふさわしいネオ・ファシズム憲法を制定する一大攻撃にほかならない。

岸田政権は、「戦争する国」にふさわしい首相・NSC専制の強権的＝軍事的支配体制のさらなる強化にも血道をあげている。

「マイナンバーカードと健康保険証の一体化」を手始めとしたあらゆる個人情報のマイナンバーへのひもづけ、および「経済安全保障」を名分にした「日本版セキュリティ・クリアランス制度」の構築こそは、その二本柱にほかならない。岸田政権は、デジタル技術を駆使した人民総監視を一挙に強化するとともに、「重要機密」を指定し、これを扱う企業・大学・研究者を治安機関が監視する体制をつくりあげようとしている。それは、警察官僚がトップに君臨する内閣調査室が統括する諜報機関や公安警察による治安弾圧体制を飛躍的に強化するものにほかならない。

この政府・警察庁の指揮のもとで愛知県警・公安三課は、全学連の拠点大学である愛知大学・名古屋大学の自治会役員にたいして、「詐欺罪」なるものをでっちあげ、学生宅および解放社東海支社の不当捜索を強行した（九月六、七日）。そして九月九日には大阪府警が、関西のたたかう労働者の不当逮捕を強行した。全学連は、たたかう労働者と連帯して、警察権力によるこの治安維持法型の弾圧を打ち砕く闘いを断固として推進している。

全学連のたたかう学生たちは、議会における野党の消滅、既成指導部による大衆闘争の放棄という日本階級闘争の由々しき現実を突き破るべく、戦闘的・革命的労働者と連帯して奮闘している。岸田日本型ネオ・ファシズム政権のまえに仁王立ちになってたたかうこの革命的左翼に階級的憎悪をたぎらせた政府・国家権力は、わが同盟とその旗のもとにたたかう労・学を標的にした治安維持法型の弾圧に血眼となっているのだ。

軍拡大増税の決定や社会保障切り捨てによって物価高騰に苦しむ労働者・人民をさらなる貧窮のどん底に突き落としている首相・岸田は、臨時国会開会を前に、経済対策にかんして〝税収増を還元する〟などとおしだした。これをさも労働者・人民への〝減税措置〟であるかのように見せかけている。これに呼応して自民党幹部どもは〝減税は解散の大義になりうる〟と言いはじめた。岸田は、臨時国会を前に「解散権」をちらつかせることで、今国会会期中に反動諸攻撃を貫徹することを狙っているのだ。

こうして、アメリカと中国・ロシアの〈新東西冷戦〉のただなかで国家総力戦体制の構築に突き進み、労働者・人民に戦争と圧政と貧窮を強制しているのが岸田日本型ネオ・ファシズム政権にほかならない。

Ⅲ　腐敗した既成反対運動と全学連の革命的闘い

岸田政権による大軍拡・改憲とネオ・ファシズム支配体制の強化という一大反動攻撃をまえにして、日本の既成反対運動指導部は反戦・大軍拡阻止の大集会ひとつ開催しないという腐敗しきった姿をあらわにしている。

「連合」芳野指導部は、十月五〜六日に開催した定期大会に首相・岸田を招き入れた。岸田自民党政権に抱きつき改憲・大軍拡を翼賛する今日版「産業報国会」としての本性をむきだしにしているのが右派労働貴族の牛耳る「連合」指導部なのである。

この「連合」指導部の闘争抑圧を下から食い破り、職場深部から大軍拡・改憲阻止、ウクライナ反戦の闘いを創造するために奮闘しているのが、戦闘的・革命的労働者にほかならない。

日本共産党の志位指導部もまた、岸田政権が改憲・大軍拡に猛突進しているこのときに、これらに反対する大衆的闘いを放棄し逃亡しつづけている。

　こうした日共中央の大衆闘争の放棄を弾劾し、「反安保」も「反ファシズム」も放棄した日共系反対運動をのりこえるかたちにおいて、反戦反安保・改憲阻止、ウクライナ反戦を課題とする今秋期闘争の一大高揚を切りひらくために奮闘しているのが、全学連のたたかう学生たちなのだ。

　沖縄県学連のたたかう学生たちは、辺野古・大浦湾への土砂投入を実力で阻止するために、〈反安保〉の旗高く反基地闘争を牽引している。全学連のたたかう学生たちは、全国で「日米合同軍事演習阻止」をはじめとする反戦反安保・改憲阻止の闘いを創造している。

　そのただなかでたたかう学生は、愛知大学・川井当局による自治会役員三名への「退学処分」を絶対に許さず、日本列島を揺るがす「処分撤回」の一大運動を創造するために、東海地方共闘会議の仲間たちを先頭にして全力でたたかいぬいているのだ。

　こうしていま全学連の学生たちは、戦闘的・革命的労働者と固く連帯して、10・15―22労働者・学生統一行動の爆発をかちとるために全国のキャンパスで奮闘しているのである。

Ⅳ　〈米―中・露激突〉下の熱核戦争勃発の危機を突き破れ！

A　総選挙に向けた政策宣伝に埋没する日共中央を弾劾せよ！

　東アジアで高まる熱核戦争勃発の危機と、そのただなかでの岸田政権による大軍拡・改憲への突進というきわめて緊迫した内外情勢のただなかで、日本共産党・志位指導部は、大軍拡・改憲に反対する運動も、反戦の闘いもなんら大衆的につくりだそうとせず、逃亡しつづけている。

　ウクライナ侵略問題にかんして日共官僚どもは、

わが革命的左翼から集中砲火を浴びた2・24「委員長談話」いらい「ウクライナ侵略反対」を唱えることすらできなくなった。委員長・志位和夫は消耗感もあらわに言う――「ロシアによるウクライナ侵略を契機とした大逆流」によって「わが党の訴えへの冷たい反応が一挙に広がりました」と(六月二十四日開催の八中総)。ここには、代々木官僚が〝ウクライナ問題にとりくめば革マル派に批判されて党員は離れ・票も逃げる〟と完全に腰砕けになっていることが示されているではないか。

プーチンを公然と擁護するオールド・スターリニストの党員、そしてこの連中に譲歩して「ロシアのウクライナ侵略」を非難することを後景化させる志位指導部。この輩どもの犯罪的対応こそは、彼らがスターリンの末裔・プーチンへの怒りのひとかけらもなく、プーチンの侵略に抗してたたかうウクライナ人民の側にたつことをはなから放棄している腐敗分子であることを自己暴露するものではないか。彼らもまた世界革命を裏切ったスターリン主義との対決をなにひとつとしておこなっていないスターリンの末裔であるからこそ、スターリニスト官僚であったプーチンの世紀の犯罪と対決できないのだ。

このことを満天下に暴きだすわが革命的左翼のイデオロギー的=組織的闘いの断固たる貫徹によって、良心的な党員・活動家のあいだに、党中央への反発が、そしてわがウクライナ反戦闘争への共感が全国的にひろがっている。この党組織の深まりゆく瓦解状況のなかで、ウクライナ反戦のとりくみから逃げまわっているのが代々木官僚なのだ。

ウクライナ問題にかんする深刻な内部対立を抱えているだけではない。かの党外に追いだされた松竹某に共鳴しつつ、党内に残って「自衛隊合憲・安保堅持」の党への改革・「党首公選制」を求める右翼的党員の続出。右傾化著しい志位指導部に反発する「左翼的」な党員による造反。こうした事態が進行し、日共党組織は分解的危機にある。まさにそれゆえに志位は顔をひきつらせて悲鳴をあげている始末なのだ――「支配勢力による攻撃は、わが党の内部にも一定の影響を及ぼし……党の政治的・思想的な解体につながっていく危険もあります」と(八月五日、全国都道府県委員長会議)。

こうした党組織の惨状が現出しているのは、志位指導部が「保守層との共同」という統一戦線政策にもとづいて「急迫不正の侵害」にさいしては「自衛隊の活用」も「安保条約第五条の活用」も容認するように安保政策を超右翼的に改変してきたことや、「市民と野党の共闘」の名のもとに「労働運動は敷き布団」などと労働運動に悪罵を投げつけてきたこと——これらを根底的に批判してきた革命的左翼のイデオロギー闘争に揺さぶられて、下部党員のたまりにたまった指導部への不信・反発が噴きだしているからなのだ。

われわれは、心ある日共党員・活動家にたいして、わが革命的左翼とともに、〈プーチンの戦争〉を打ち砕くウクライナ反戦闘争を、そして反戦反安保・改憲阻止の闘いを巻きおこすべきことをよびかけ、今秋期闘争の大爆発をかちとるのでなければならない。

「反安保」ぬきの日共式「大軍拡反対」方針の犯罪性

日共中央がうちだしている「大軍拡・九条改憲反対」の運動方針の特質は以下のようなものである。

①岸田政権による大軍拡や九条改憲の策動について、その「震源地となっているのはアメリカ」であり、「米国の対中国軍事戦略の最前線基地」と化した「日本に戦火を呼び込む深刻な危険につながる」とか、「対米従属のもとでの戦争国家づくり」とかと特徴づける。

②こうした岸田政権の「米国の核戦略に縛られた屈辱的な姿」を明らかにし、「国民の世論と運動」を巻きおこすことを圧力手段にして、岸田政権の「異常な対米従属・軍事一辺倒」の安保政策を転換させ、日共が提示している「外交ビジョン」や「日中関係の前向きの打開のための提言」という政策(代案)の採用を政府に求める。

③右の代案を実現するために、議会内政党間力学をかえるという観点から、総選挙において「日本共産党を伸ばすことに徹するたたかいをやり抜く」。また、「野党共闘」を「再構築」するために、「安保条約を肯定する人」や「多少の軍事費増は必要」と

いう「保守層」も含めた「岸田政権の大軍拡反対」の一点での「国民運動」を発展させる。

以上のような大軍拡・改憲問題にかんする日共中央の方針、その犯罪性のまず第一は、この方針からは「日米軍事同盟の強化反対」が完全に抜きさられていることとである。

こんにちの代々木官僚は、――「反安保」をおしだすべきと主張する党員たちを日共組織につなぎとめるためにも――「震源地はアメリカ」とか「対米従属のもとでの戦争国家づくり」とかという主張をおしだしている。こうした主張は一見すると、こんにちの「敵基地攻撃能力保有」の攻撃をば日米軍事同盟の強化の問題としてとらえようとしているかのように見える。だがしかしその実は、「(日本は)米国の核戦略にがんじがらめに縛られている屈辱的な姿」という言い方に示されるように、日米軍事同盟の問題を、アメリカ政府の政策に日本政府の政策が政策上で追随しているというように、つまるところ日本政府の政策選択上の自主性があるか否かという観点から特徴づけたものにほかならない。

日本の「屈辱的な姿」などと否定的にあげつらうことによって代々木官僚がポジティブにおしだしたいことは、実のところ「日米軍事同盟が存在するもとでも平和の外交政策をとることが可能だ」ということにある。このように代々木官僚は帝国主義階級同盟たる日米軍事同盟の存在を肯定的前提とし・そのうえで〝日本政府はもっと自主性をもて〟と主張しているにすぎないのだ。だが、これは、現下の岸田政権の攻撃をまえにして実に犯罪的なのだ。

いうまでもなく岸田政権による先制攻撃体制構築への突進、それはアメリカ帝国主義に安保の鎖でつながれた「属国」である日本が、中国・北朝鮮への先制攻撃に駆りだされることを意味する重大な問題にほかならない。まさにこれじたいが、日米軍事同盟を対中国のグローバル同盟として飛躍的に強化する攻撃にほかならず、その法的根拠が日米安保条約なのである。

この安保の鎖を断ち切らないかぎり、日本帝国主義はアメリカ帝国主義に政治的・軍事的に従わざるをえないのだ。日米軍事同盟(その法的根拠をなす日米安保条約）は日本帝国主義の屋台骨をなすのであって、労働者階級の階級的団結によってのみ、その破棄をかちとることができるのである。

にもかかわらず代々木官僚は、日米軍事同盟の飛躍的強化の攻撃を打ち砕く労働者・人民の階級的力をいかに創造するかという核心問題を完全に放擲しているのだ。

第二には、代々木官僚どもが言うところの「日米軍事同盟が存在するもとでも」とることのできる「平和の外交政策」なるもの、すなわち彼らが現在岸田政権にその採用を求めている「東アジアに平和をつくる外交ビジョン」および「日中関係の前向きの打開の提言」なる政策的代案――その反プロレタリア性についてである。

「日中関係の前向きの打開のための提言」たるや、「日本の敵基地攻撃能力保有に反対する」ことも「中国の覇権主義に反対する」こともみずから引き下げたうえで、ただただ日中両権力者に「対話」のテーブルにつくことを懇願するというシロモノだ。

それは、党の分解的危機を食いとめるために、自衛隊・安保問題については口をつぐみ、いっさいの反戦のとりくみから召還していることを覆い隠すための免罪符いがいのなにものでもない。

このような「提言」は、「新たな軍事的枠組みをつくり、インド太平洋地域のブロックによる分断を強め」るのではなく、「地域のすべての国を包摂する安全保障の枠組みを推進する」（八月二十日、米日韓首脳会談にかんする「委員長談話」）というような「外交ビジョン」から出てくるものである。

岸田政権にたいして「分断」ではなく「包摂」の外交を対置するという日共中央のこの「ビジョン」においては、米日両権力者による日米軍事同盟強化の攻撃にたいして、――ネオ・スターリン主義中国の対米対抗の核軍拡とともに――断固として反対するということが完全に放擲されているではないか。その根拠は代々木官僚が、日米軍事同盟の帝国主義階級同盟としての本質を無視抹殺して日米軍事同盟の存在を肯定し・NATOのもとでもアメリカと「対等・平等」な関係をつくりだしているとみなしたドイツ・フランスの外交政策を彼らの目標としていることにあるのだ。まさに日共中央の「反安保の完全放棄」こそが〝諸悪の根源〟なのだ！

だが、米・日・韓―中・露・北朝鮮の権力者どもが相互に軍事力を突きつけあい角逐していることそのものに反対する反戦・反軍事同盟の闘いを創造することの彼岸において、この権力者たちに「対話をしてください」とお願いすることほど犯罪的なことがあるか！ それは、岸田政権が対中国の軍事政策と統一しておしすすめている瞞着外交を補完することにしかならないのだ。

こうした政策的提言は、〝「すべての国を包摂する平和の枠組み」としての発展〟というみずからの「願望」を「未来的現実」として実在化したうえで、これとの対比で「現在的現実」（日米軍事同盟の強化）を「排他的なブロック的対応」と特徴づけ、この「現在的現実」から「未来的現実」に向かう過程を実在的に想定し・これをもっておのれの「代案」＝「政策」を基礎づける、という哲学的誤謬の産物にすぎない。それは、代々木官僚どもが、〈情勢分析と方針の二重写し〉というスターリニスト哲学に特有の錯誤に、――思想的にはスターリンの正統派スターリン主義から転向した今もなお――呪縛されていることを示しているのだ。

われわれは突きだしてやるのでなければならない。中国による「台湾併呑」や南シナ海の軍事拠点化の策動を「最大の戦略的挑戦」とみなし・この中国を包囲する核軍事包囲網の形成をたくらむ米日権力者と、「社会主義現代化強国」という世界戦略にもとづいて対米の核軍事力の増強に突き進むネオ・スターリン主義中国の権力者。この米・日と中国の権力者がそれぞれの階級的および党派的の利害をかけて角逐しているというこの非和解性を無視抹殺して、両者が「対話」のテーブルに着きさえすれば「平和」が実現できるかのように吹聴するのは、反プロレタリア的な犯罪なのだ。

米日—中露の激突のゆえに高まる熱核戦争勃発の危機を突き破るためには、それぞれの権力者に支配されている労働者・人民の国境を越えたプロレタリア的な団結を創造し、これにもとづく反戦闘争を推進するいがいにありえないのである。

第三の問題は、日共中央の「大軍拡・改憲反対」の運動方針からは、「反安保」ばかりか、岸田政権による「戦争する国」にふさわしい強権的＝軍事的支配体制を強化する攻撃に反対すること、すなわち「ファシズム反対」もまた完全に欠落していることである。そもそも代々木官僚は、岸田政権による国内支配体制の強化の問題について言及すらしないのだ。

これはあまりにもボケきっているというだけでなく、致命的な犯罪にほかならない。米—中・露が激突するもとで日本国家がいわば〝プレ戦時下〟のネオ・ファシズム国家として・その支配体制が強化されているという認識も、このもとで対政府のあらゆる運動とそれを創造する労働組合や学生自治会の壊滅を狙った治安弾圧体制がうち固められつつあることへの警戒心も完全に喪失しているのだからである。ネオ・ファシズムの濁流をまえにして、たたかわずして屈服しているのが日共中央なのだ。

いうまでもなく岸田政権はいま、対中国の先制攻撃体制の構築に突き進むと同時に、官民あげての先端軍事技術の研究開発、全国の空港・港湾の軍事利用など、「国家総力戦」を遂行する体制をうち固めようとしている。

まさにこのゆえに、岸田政権による大軍拡・改憲攻撃を粉砕するためには、「日本型ネオ・ファシズム支配体制の強化反対」の旗を高く掲げた闘いが組織されなければならない。今こそ、「ファシズム反対」の旗のもとに、労働者・学生・人民の階級的団結を創造しなければならないのである。

B　反戦反安保・改憲阻止、ウクライナ反戦の闘いの大爆発をかちとれ！

すべてのたたかう労働者・学生諸君！ ＜プーチンの戦争＞を発火点にアメリカと中国・ロシアとの激突を基軸として激動する現代世界は、台湾・朝鮮半島を焦点とした熱核戦争＝アジア発の第三次世界大戦勃発の危機のただなかにある。今こそ、＜米―中・露激突＞下の世界大戦勃発の危機を突破する革命的反戦闘争の、そして＜プーチンの戦争＞を打ち砕くウクライナ反戦闘争の炎を燃えあがらせよ！

強権をふりかざしての「国による代執行」＝大浦湾の埋め立てを断固として阻止せよ！　ただちに全国から反戦・反基地・反安保の闘いに起て！　先制攻撃体制構築のための空前の大軍拡を粉砕せよ！

すべてのたたかう学生は今秋期、「反安保」を放棄した日共系反対運動をのりこえ、反戦反安保・改憲阻止とウクライナ反戦とを二本柱とする反戦闘争の大爆発をかちとるのでなければならない。全国のすべてのたたかう学生は、職場深部でたたかう労働者と連帯して、岸田政権のネオ・ファシズム的な攻撃を打ち砕き前進せよ！

反戦反安保のうねりを巻きおこせ！

(イ)＜新東西冷戦＞下の熱核戦争＝第三次世界大戦勃発の危機を突き破れ！

われわれは、＜新東西冷戦＞下で高まる戦乱勃発の危機を突き破る革命的反戦闘争の巨大な爆発をかちとるのでなければならない。

権力者の「外交交渉」への幻想を煽りたてる日共中央を弾劾し、台湾を焦点とした米・日・韓・英・豪―中・露の「軍事演習」という名の相互対抗的な軍事行動の応酬に反対する反戦闘争を巻きおこせ！

米軍主導の多国間軍事演習を許すな！　米軍のもとに一体化した日本国軍が「演習」を名目として台

湾周辺・南シナ海に出撃していることに反対せよ！　それとともに「台湾併呑」を狙う中国の威嚇的軍事行動にも断固反対せよ！　中・露両軍による対米対抗の軍事演習反対！

　われわれは、朝鮮半島における新たな核戦争の勃発を絶対に阻止するのでなければならない。三角核軍事同盟を強化しつつ対北朝鮮の威嚇的軍事行動を強めるアメリカ・韓国・日本と、中国の経済的支援のもとに・かつロシアとの公然たる結託のもとに核武装に突進する北朝鮮との軍事的角逐に反対する反戦闘争を断固として巻きおこせ！　米韓日の三角軍事同盟の再構築＝核軍事同盟の強化反対！　労働者・人民を貧困・飢餓に突き落としながら核・ミサイル開発に突き進む金正恩政権を弾劾せよ！

　かつて日本軍国主義による苛烈な植民地支配にくみしかれ、その後はアメリカ帝国主義とソ連・中国のスターリン主義との冷戦構造のもとで南北に引き裂かれて、半島は戦火で焼かれ、おびただしい死者をうみだすという悲劇を強いられてきた朝鮮の労働者・人民。こうした過去を背負う朝鮮人民はいま、米―中・露の〈新東西冷戦〉のもとで再び熱核戦争の危機に叩きこまれているのだ。

　われわれは、岸田政権が「徴用工」問題をはじめとするあらゆる植民地支配の犯罪を居直ることを許しはしない。今から一〇〇年前の関東大震災時の戒厳令下において政府・軍がおこなった朝鮮人虐殺（日本の朝鮮統治に反対する朝鮮人民や社会主義運動や、労働運動の担い手たちの虐殺）について、岸田政権が「記録が見当たらない」（官房長官・松野博一）などとほざき、この日本軍国主義の犯罪を消しさろうとしていることを断じて許すな！　日本軍国主義による中国・アジアへの侵略戦争は、まさに時の政府に抗する者への「アカ」と烙印しての徹底的な弾圧からはじまったのだ。この日本軍国主義権力者の末裔である岸田政権が、アメリカ帝国主義との軍事同盟にもとづいて、再び朝鮮半島に日本国軍を送りだすことなど断じて許してはならないのだ。

　南北朝鮮の労働者・人民にたいして、新たな朝鮮戦争の勃発に反対し、自国の好戦的権力者どもによる戦争政策に反対して起ちあがるべきことをよびかけよう！　そして「南北朝鮮のプロレタリア的統一をめざしてたたかおう」という革命的よびかけを発しつつたたかおうではないか！

アメリカと中国・ロシアの権力者どもは、軍事的角逐を熾烈にくりひろげながら、極超音速兵器や「使える核兵器」と称する小型核兵器の開発・配備にしのぎを削っている。この米―中・露の核戦力強化競争に反対せよ！

米―中・露激突下で高まる熱核戦争の危機を突き破る道は、国境をこえた労働者・人民の団結にもとづく反戦闘争を創造することいがいにありえない。それゆえにわれわれは、米・中の軍事行動の応酬に反対し、そしてまた新たな朝鮮戦争の勃発を阻止する反戦闘争を、日本の地において創造するとともに、この反戦闘争を国際的に波及させるためにたたかうのでなければならない。

（ロ）日米軍事同盟の対中国グローバル同盟としての強化粉砕！　アジア太平洋版NATOの構築反対！

われわれは第二に、日米軍事同盟の対中国のグローバル同盟としての強化に反対するのでなければならない。これと同時に、「台湾併呑」を狙った中国の軍事的強硬策にも断固反対するのでなければならない。

岸田政権が労働者・人民の反対闘争をふみにじって、「代執行」＝大浦湾の埋め立てに突進していることを絶対に阻止せよ！

ファッショ的強権性をむきだしにする岸田政権にたいして、日共官僚は「（沖縄の）民意と国の方針が相いれない場合でも、……徹底的な対話で解決策を模索することが求められます」（十月五日付『しんぶん赤旗』）などと、「話し合い」を懇願している。

だが、岸田政権は「日米同盟の抑止力・対処力の強化」の名のもとに、まさに日米軍事同盟の飛躍的強化のためにこそ、労働者・人民の反対闘争を圧殺し辺野古新基地建設に突き進もうとしているのであって、いまこのときに「反安保」を放棄することほど犯罪的なことはないのだ。今こそ、日米軍事同盟の反階級的本性を徹底的に暴きだせ！　われわれは、現下の辺野古新基地建設を阻止する闘いを、まさしく「日米の対中国グローバル同盟反対」の旗幟を鮮明にしてたたかうのでなければならないのだ。

　そしてまた、岸田政権が沖縄県当局の抵抗もろともに反対運動を圧殺しながら大浦湾の埋め立てを強行しようとしているのは、「緊急事態条項」の創設＝ネオ・ファシズム憲法制定の先取りでもある。われわれは、「日本型ネオ・ファシズム支配体制の強化反対」をも辺野古新基地建設反対闘争の任務とするのでなければならないのである。

　沖縄・南西諸島への陸自ミサイルの配備阻止！　米日共同の先制攻撃体制の構築阻止！　史上最大の八兆円もの軍事費（二四年度）を投入しての国産長射程ミサイル開発・米トマホークの導入をはじめとする大軍拡を許すな！　日本の軍事強国化阻止！

　われわれは、辺野古新基地建設や南西諸島へのミサイル配備、日米共同の軍事演習といった、日米軍事同盟を現実的に強化するためのいっさいの攻撃に反対する闘いを、「反安保」を放棄した日共中央翼下の反対運動をのりこえ、日本全国から創造するのでなければならない。

　こんにち、日本とイギリス・オーストラリア・韓国などとのあいだで、日米安保条約のような国際法的根拠が存在しないにもかかわらず、権力者同士の一片の合意でもって事実上の軍事同盟関係が構築されている。これこそ、＜新東西冷戦＞下における日米軍事同盟の新たな・グローバルな強化の攻撃なのであって、これを粉砕するためには、「アジア太平洋版ＮＡＴＯの構築反対」の旗が今こそ高く掲げられなければならない。

　＜基地撤去・安保破棄＞めざしてたたかおう！

日米の帝国主義による核軍事同盟強化の策動に反対するとともに、ネオ・スターリン主義中国による反人民的な軍事的強硬策に、そして核戦力増強に断固反対しよう！

　深まる中国経済の危機のもとで労働者・人民に貧困と圧政を強制しながら、「中華民族の偉大な復興」なるナショナリズムを鼓吹しつつ、対米対抗の軍事的強硬策に拍車をかけている習近平政権。台湾の労働者・人民にたいして銃口とミサイルを突きつけ「戦争か平和か」などと恫喝する習近平政権。このネオ・スターリン主義者たる習近平・中国の反プロレタリア的策動を、われわれは満腔の怒りを込めて弾劾するのでなければならない。習近平政権の圧政に呻吟する中国の労働者・人民に自国政府の戦争政策に反対して起ちあがるべきことをよびかけよう！

こうした日・中の労働者階級・人民の国境をこえた団結とそれにもとづく反戦の闘いによってこそ、東アジアを覆う戦乱勃発の危機を突き破ることができるのである。

（八）〈軍国日本〉再興のための憲法大改悪を阻止せよ！

第三にわれわれは、第九条の改悪と緊急事態条項の創設とを柱とする憲法大改悪を絶対に阻止するのでなければならない。

岸田政権の改憲攻撃は、アメリカとともに「敵国」に先制攻撃をもなしうる軍事強国へと飛躍させることを狙ったネオ・ファシズム憲法の制定にほかならない。この歴史を画する攻撃を打ち砕くために、今こそ日本列島を揺るがす労働者・人民の「憲法改悪阻止」の空前の反対闘争を巻きおこすのでなければならない。

全学連は改憲条文案の策定・国会提出を阻止するために、職場深部でたたかう労働者と連帯して、国会を幾重にも包囲する闘いのうねりを巻きおこせ！「戦力不保持」「交戦権の否認」をうたう憲法第九条の破棄を許すな！「国家有事」のさいに首相・内閣に議会を経ずに政令を発布する絶大な権限を与える緊急事態条項の創設反対！

まさにこの条項の創設に込めた岸田政権の狙いは、〝プレ戦時〟下の「戦争する国・日本」にふさわしくナチス・ヒトラーのような強権を握り、労働者・人民の民主的諸権利を奪いさり、「反政府的」な運動を破壊することにこそある。辺野古新基地建設のための「代執行」こそは、その予行演習として強行されようとしているのだ。それゆえにわれわれは、改憲阻止の闘いを、「日米軍事同盟の強化反対」・「日本型ネオ・ファシズム支配体制の強化反対」の旗幟を鮮明にして推進するのでなければならない。

岸田政権は米日共同の先制攻撃体制の構築に血道をあげるとともに、「経済安全保障」の名における先端技術の研究・開発、なかんずく極超音速兵器などのハイテク兵器生産に応用しうるような技術の開発を国家をあげておしすすめている。この岸田政権がいま、全国の大学への国家的統制を強化しているのは、＜戦争をやれる軍事強国＞にふさわしく大学を軍事研究・イノベーション開発の拠点たらしめるためであり、それじしんが今日版の「国家総力戦体制」づくりの策動にほかならない。

まさにそのゆえに、憲法改悪阻止闘争や大軍拡反対の闘いの前進をキャンパスにおいてかちとるためには、「大学での軍事研究の推進反対」、「大学からの『反政府的』とみなした学生・教職員の追放を許すな」ということをも、今こそ鮮明にするのでなければならないのである。

＜プーチンの戦争＞を打ち砕け！

われわれは、ウクライナ反戦の闘いをいっさい放棄する日共中央の腐敗を弾劾し、日本の地からウクライナ反戦闘争の巨大な前進を切りひらこうではないか！

ロシア軍によるウクライナ諸都市へのミサイル攻撃、エネルギー関連施設への攻撃を許すな！　プーチンによる人民虐殺を満腔の怒りを込めて弾劾せよ！

プーチンの動員令＝東・南部四州のウクライナ人民の徴兵を許すな！　占領地での拷問・虐殺をはじめとする蛮行を弾劾せよ！

「ロシアの領土が攻撃されたら核で反撃する」とほざくプーチン、この追いつめられた侵略者による核恫喝を断じて許すな！

今ヒトラー・プーチンの犯罪をまえにして、弾劾の声をあげることもなく、「反戦」のハの字もよびかけていないのが、日共の志位指導部にほかならない。日共官僚どもには、侵略者プーチンへの怒りも、領土奪還をめざして身を賭してたたかうウクライナ人民への共感もまったくないのだ。

「ロシアよりもNATOが悪い」と主張し事実上プーチンの蛮行を擁護する観念左翼ども、そしてまた「ロシアもウクライナも今すぐ停戦を」と主張する輩たち、その腐敗の根拠は、彼らが侵略者にたいして立ちむかうウクライナの労働者・人民の側にたっていないことにある。そして根本的には、スターリン主義との対決の欠如にあるのだ。

〈プーチンの戦争〉――それは、「ソ連邦の解体とＮＡＴＯの東方拡大は二十世紀の最大の地政学的惨事」とほざくプーチンがロシアの領土にウクライナを組みこむために、これに抵抗するウクライナという国家も民族も抹殺することを狙って強行している世紀の犯罪にほかならない。

この今ヒトラーにして・スターリンの末裔たるプーチンの蛮行を弾劾し、〈プーチンの戦争〉を打ち砕くウクライナ反戦闘争を巻きおこせ！　この闘いの前進こそが、たたかうウクライナ人民への連帯となり、ウクライナ侵略を打ち砕く大きな力となるのである。この闘いを全世界に波及させ、断末魔のプーチンを全世界の労働者・人民の怒りで包囲しようではないか！

この反戦闘争を創造するただなかで、わが同盟はロシアおよびウクライナの労働者・人民にたいしてよびかける！――

ロシアの労働者・人民よ！　ＦＳＢを母胎とするシロビキの権力者・特権支配層は、ロシア革命を簒奪したスターリンの末裔である元スターリニスト党官僚であり、解体されたソ連邦の国有財産の簒奪者だ。このことに今こそ目覚め、〈ロシアのウクライナ侵略戦争反対！　ＦＳＢ強権型支配体制打倒！〉の闘いに起ちあがれ！

ウクライナ人民よ！　〈プーチンの戦争〉をなんとしても打ち砕こう！　ウクライナの人々を苦しめてきた旧ソ連邦とはスターリン主義官僚専制国家にすぎないのであって、このスターリン主義を根底からのりこえていくことのなかにこそ、ウクライナの労働者・人民の真の解放があることに目覚め、前進しよう！

革命的学生運動への破壊攻撃を打ち砕け！

すべてのたたかう学生は、反戦反安保・改憲阻止、ウクライナ反戦の闘いを推進するとともに、愛知大学川井反動当局が反戦をたたかう自治会の役員三名にたいしてふりおろした「退学処分」通告を徹底的に弾劾する闘いを巻きおこせ！

「退学予定通知」から二ヵ月半にわたるたたかう愛大生の闘いによって、愛大生・教職員の「えん罪による退学処分を許すな」「川井体制打倒」の怒りにつつまれて、学長選におけるみずからの後継候補の落選に叩きこまれた反動学長・川井。この川井当局にテコ入れするために、たたかう愛大生（および名古屋大生）にたいして、「不正に給付金を受け取った詐欺罪」なる微罪にもならない「罪」をでっちあげての不当捜索に狂奔した愛知県警・公安三課を弾劾せよ！

愛大川井当局がふりおろしてきた「退学処分」攻撃は、愛大当局内の反動当局者が、政府・文部科学省および警察権力との〝黒い結託〟を深め、かつ反動当局者に魂を売った日共系教員をも抱きこんでの、「四位一体」の「現代のレッドパージ」攻撃にほかならない。この〝黒い結託〟を満天下に暴露したたかおう！

愛大をはじめとして、こんにち全国において吹き荒れている学生自治会への破壊攻撃。それこそは、軍事研究・イノベーション開発を担う国策大学を全国的に創出するために、キャンパスから反戦・反政府の運動を根絶せんとする岸田政権のもとで、日本の国・公・私立の大学が「暗黒化」しつつあることの露頭にほかならない。

今こそ全国のすべてのたたかう学生は、「大学のネオ・ファシズム的再編反対」の旗を高く掲げて、革命的学生運動破壊を狙ったいっさいの策動を打ち砕く闘いを創造しようではないか！　この闘いを、反戦反基地・改憲阻止の闘いやウクライナ反戦闘争とむすびつけて推進し、その大爆発をかちとれ！

すべてのたたかう学生は、反戦反安保・改憲阻止の闘い、学費値上げや労働者・学生への貧困の強制に反対する闘い、原発・核開発反対闘争――これらもろもろの闘いをひとつにあわせ、岸田日本型ネオ・ファシズム政権の打倒をめざして前進せよ！

ナゴルノカラバフの悲劇

武力的併合を強行したアゼルバイジャン・アリエフ政権

アゼルバイジャンの専制的権力者イルハム・アリエフの指令のもと、国軍と治安部隊がナゴルノカラバフ自治州のアルメニア人労働者・農民に襲いかかり、自治州の総人口一二万人を国外に叩きだすという悪逆無道の挙にうってでた(八三頁の地図参照)。

二〇二三年九月十九日に、一切の予告もなく彼らは「対テロ作戦」と称してナゴルノカラバフ自治州に突入し州政府の幹部を一斉逮捕した。軽武装のアルメニア人民兵を武装解除した彼らは「無条件降伏」を強制したうえに、村々を焼き討ちし初日ですでに二〇〇人以上を虐殺しさった。皆殺しの脅威にさらされたアルメニア系住民は、車に積める家財以外のすべてを失って国境の山を越え本国へ脱出した。その数は十日間で一〇万人にものぼる(註)。

アリエフ政権は二十日にこの地域にたいする「主権回復」を宣言し、二十八日には「住民登録」を開始した。こうして自治州はこの地上から抹消されたのだ。ナゴルノカラバフの帰属をめぐるキリスト教国アルメニアとイスラム教国アゼルバイジャン両国の抗争、一九八八年に始まり三十五年も続いた血みどろの宗教的民族的抗争は、このように、ナゴルノカラバフからアルメニア人民がすべて追放されるかたちで結着がつけられたのである。

事態のこの急変をもたらした決定的な要因は、ロシアのウクライナ侵略にほかならない。この侵略戦争に全力を投入しているロシアが、みずからが主導する軍事同盟CSTO(集団安全保障条約機構)の加盟国たるアルメニアへの軍事支援の重荷にもはや耐えられず、これを放棄したのだ。ナゴルノカラバフにはロシア軍が「平和維持部隊」として駐留していた。にもかかわらず、ロシア政府は「外交による解決」なる一片の声明でお茶を濁し、トルコを後ろ楯とするアゼルバイジャンによるナゴルノカラバフ併呑を黙認したのである。

二〇二〇年にアゼルバイジャン軍がアルメニア軍を打ち破ってナゴルノカラバフ以外のアルメニア軍占領地を「奪還」したさいには、プーチン政権はアルメニア軍への援助を一切せず、ナゴルノカラバフにロシア軍を「平和維持部隊」として進駐させるという「収拾策」をとった。これは、「民主化」デモを組織化して歴代の親露政権を打倒したアルメニアのパシニャン政権（二〇一八年政権交代）をロシアの統制下に置くための、意図的策略いがいの何ものでもなかった。だが今回はCSTO加盟国を防衛することさえもできないぶざまな姿をさらしたのだ。

ウクライナ軍と人民の一丸となっての反転攻勢を受けているロシア軍には、アルメニアを支援する軍事的余力がまったくない。加えて、このロシアに頼っていてはナゴルノカラバフの防衛はおぼつかないと危機感を募らせたパシニャン政権がますますアメリカへの依存を強め、九月十一日からは米軍との合同軍事演習を開始していた。この反露姿勢を露骨に示すパシニャン政権をプーチン政権が支援する余力も、その熱意もまったくない。これを見てとったからこそ、アリエフ政権はこの機を見はからって制圧作戦を開始したのである。

いまアルメニア・ロシアの両権力者は醜悪な非難合戦をくりひろげている。「責任はロシアの平和維持部隊にある」というパシニャンの弾劾にたいして、ロシア外務省は声明を発し「米欧に煽動されてきたアルメニア指導部の大きな過ち」と罵った（十月二十五日）。いまやCSTOは内部崩壊を開始しているのだ。

スターリニストの末裔どもの犯罪

一九九一年のソ連邦崩壊いご、独立したアゼルバイジャンでは、ソ連共産党の政治局員であったヘイダル・アリエフ（反ゴルバチョフの守旧派でKGB官僚でもあった）が、ソ連時代の暴力装置をみずからの手兵にし、かつ国有財産を簒奪することによって、専制的支配体制をつくりあげた。そして、アルメニアを支援するエリツィンのロシアと対抗するためにＣＩＳ（独立国家共同体）からも離脱してトルコを後ろ楯にし、石油収入を資金源にして軍備増強に狂奔してきたのだ。このヘイダル・アリエフの息子が現大統領のイルハム・アリエフであり、そのもとにつくられているのはスターリニスト・ソ連邦時代とそっくりの強権的支配体制にほかならない。

他方のアルメニアは、ゴルバチョフによる「民族問題のグラースノスチ」を追い風にしてナゴルノカラバフのアルメニア帰属運動を一九八八年に起こし、九一年の独立以後はコチャリャン、サルキシャンの二代の大統領がロシアの軍事援助を得て、アルメニアとナゴルノカラバフをつなぐ回廊一帯を占領支配した。彼らはこの期間にアゼルバイジャン人にたいする「エスニック・クレンジング」を強行したのだ。

この両国の対立の歴史的出発点は、旧ソ連邦構成共和国人民のそれぞれの宗教を公式に復活させたゴルバチョフの「ペレストロイカ」、そしてソ連邦の解体にある。旧ソ連邦において六十余年にわたるスターリニスト官僚による粛清と弾圧と専制支配に組み敷かれ貧困にあえいできた諸国・諸エスニック集団の人民は、心の支えをそれぞれの宗教に求めてきた。ゴルバチョフの宗教復活政策によってそれが一気に噴出したのである。宗教的に「覚醒」させられた人民は、それぞれの宗教を心棒にした民族的アイデンティティをバネにしてそれぞれに結束を固め、相互に武力的にも対抗しあった。その最初の舞台がナゴルノカラバフであった。その地において、まさにいまアルメニア人民の虐殺・追放という悲劇が演じられているのだ。

勝利に乗じるアゼルバイジャンの権力者は、〝飛び地（ナヒチェバン自治共和国）〟に通じる回廊をアルメニア領内に設置する新たな攻勢をかけようとしている。アリエフは十月二十五日に、示しあわせたようにこの〝飛び地〟でトルコ大統領エルドアンと会談し、ナヒチェバンをアゼルバイジャン本土から「切断した」スターリン時代の決定を嘆いてみせた。この会談で彼は、新たなアルメニア侵攻計画をエルドアンに示し、支持を求めたにちがいない。

他方、アルメニア人民は怨念をますます募らせ、自己保身に駆られたアルメニア権力者はアゼルバイジャンの侵攻にそなえて軍備増強にひた走っている。まさしく、それゆえに宗教＝民族戦争の新たな火の手があがろうとしているのだ。

この悲劇は、スターリンによるソ連邦構成諸共和国の分断支配に始まり幾重にも重なるスターリニストとその末裔どもの犯罪のうえに、ロシアのウクライナ侵略後の世界大乱のただなかで、いま生みだされているのである。

註　「山岳の黒い庭（ナゴルノカラバフ）」はアルメニアの東方に位置し、南北と西の三方を雪嶺に囲まれた針葉樹林帯の広い盆地である。この美しい風土のもとで、古来よりキリスト教徒（アルメニア正教）が、周囲のシーア派ムスリムとは異なる文化圏をつくりだしてきた。

津田健三

領土拡張の触手

アブハジアにロシアが黒海艦隊の新基地

ウクライナ軍と人民によってクリミア半島を拠点とするロシア黒海艦隊の司令部を爆砕されたプーチンは今、黒海艦隊の大部分をクリミアのセヴァストポリから約四〇〇キロメートル離れたロシア本土のノヴォロシスクなどに分散・退避させ、艦艇の防衛に血眼になっている。

プーチンは、ウクライナとの長期戦をみすえ、欧米諸国の「支援疲れ」を願望しながら、ノヴォロシスクからさらに約五〇〇キロメートルも離れた黒海沿岸のジョージア北西部に位置するアブハジアに黒海艦隊の一部を分散させるとともに、同地に新たな海軍基地を建設しようとしている（八三頁の地図参照）。

黒海艦隊の拠点であり象徴でもあるセヴァストポリ、ここを拠点として維持することが困難になったがゆえにプーチンは、ウクライナから遠く離れた、親ロシア派勢力が実効支配するアブハジアに新基地を建設することを企んでいる。この企みを、アブハジアの自称「大統領」アスラン・ブジャニヤに『イズベスチヤ』紙のインタビューというかたちで明らかにさせた（十月五日）。ブジャニヤは「ロシアとアブハジアの防衛能力の向上のために、〔アブハジアの〕オチャムチレ地区にロシア海軍の常駐の拠点ができる」と述べ、協定に署名したことも発表した。

また、ブジャニヤは「ロシア側が開始した統合プロセスに参加したい」とも述べ、この海軍基地建設の協定が、ロシアがアブハジアを統合＝併合することを視野に入れたものであることをほのめかした。新ブジャニヤはこの前日にプーチンと会談している。新基地建設とロシアによるアブハジアの併合はワンセットであり、プーチンから直接に指示されたものであるにちがいない。

〔アブハジアの親ロシア派権力者は、ロシア南西部のカフカス山脈を越えた位置にあるジョージアから一方的に分離・独立を宣言して「アブハジア共和国」を名のっている。二〇〇八年に、ジョージアからの独立を求めたアブハジア自治共和国と南オセチア自治州の武装勢力がロシアの支援をうけて、ジョージアにたいして分離独立を宣言した。ジョージアは反対したが、ロシアは「親ロシア系住民の保護」という名目で二万の兵と五〇〇台の戦車・装甲車を送りこんでジョージア軍を撃滅した。ジョージア全土を空爆してアブハジアと南オセチアを占領し、「共和国」としての独立を一方的に承認した。現在もロシア軍は駐留し親ロシア政権を支えているが、独立を承認した国はロシアなど数ヵ国にすぎない。もちろんジョージア政府は独立を認めていない。〕

ロシアを後ろ盾としたアブハジア「大統領」の新基地建設をめぐる突然の発表に、ジョージア政府は当然にも「主権と領土保全にたいする明白な侵害だ」とただちに抗議した。

今年八月には、ロシア前大統領であり安全保障会議副議長であるメドベージェフは、ロシアの安全保障のためにアブハジアと南オセチアをロシアに併合する、と米欧諸国に脅しをかけてきた。今日プーチンは黒海艦隊の基地を建設し、これを機に、一気にアブハジアをロシアに併合しようとしているのだ。ロシアのウクライナ侵略を契機にしてカフカス地方の民族的な対立は今や激しさを増している。スターリンの末裔たるプーチンは、アゼルバイジャンとのナゴルノカラバフ争奪戦に敗北したアルメニアを見捨て、ウクライナ侵略の長期化をみすえて黒海沿岸にロシア軍配置の重点をうつしている。さらに、崩壊したソ連邦の版図を取り戻すために、ロシアと陸続きの西カフカス地方にも新たな領土拡張の触手をのばしているのだ。

サンゴ島の政変

モルディブ大統領選で親中派が勝利

インド洋に浮かぶ島国モルディブで二〇二三年九月三十日に大統領選の決選投票がおこなわれ、中国との関係強化を主張する首都マレ市長のムイズが当選した。「親インド」の外交路線をとってきた現大統領ソリの政権の崩壊が画された（新政権成立は十一月）。

モルディブは近年、親インド政権と親中国政権とのあいだを揺れ動いてきた。一三年以降は、親中国のヤミーン政権のもとで、国際空港島と首都のあるマレ島とを結ぶ「中国モルディブ友好大橋」をはじめ、数々のインフラ整備が中国の支援ですすめられた。軍事面でも、ヤミーンはそれまでおこなわれてきたインド軍との合同演習への参加をとりやめ、国内に駐留するインド軍にも退去を求めた。このヤミーン政権を、中国からの投資にからむ汚職にまみれていると追及し、一八年にヤミーンを倒して大統領となったのが現職のソリだ。彼は一転して、インド軍の駐留を積極的に受け入れ、インドの支援でマレの高層建築などのインフラ整備を拡大してきた。

今回、このソリを大統領の座から追い落としたムイズは、ヤミーン政権の閣僚を務めていた輩。いわば親中勢力の〝逆襲〟が奏功したかたちだ。

すでにヤミーン時代にモルディブは中国からのインフラ投資により年間税収の三倍にあたる莫大な対中国債務を抱え、自力返済が不可能な状態となっている。悪名高き「債務の罠」に、モルディブ政府もまた陥れられているのだ。にもかかわらず、ムイズはなおも「中国と結んでのインフラ整備」を政策として訴え、勝利したのである。

このようにインフラ投資の拡大策が大統領選の重要な争点となるのも、この小国が抱える「人口の増加」と「国土の減少」という切迫した問題のゆえである。

一一九〇ものサンゴ礁の島々からなり、すべての島をあわせても西表島より少し大きい程度の面積(約三〇〇平方キロメートル)しかないモルディブ。このただでさえ狭い国土が、近年の地球温暖化にともなう海面上昇とサンゴ礁の死滅によりじわじわと削られている(一メートル海面が上昇すると国土の八〇%が失われるといわれる)。他方で人口は急増(現在は約五〇万人。ここ三十年で二倍に)しているので、この国の人口密度は世界有数の水準である。こうした問題ののりきり策として、土地を増やす人工島の造成や、増加する人口を収容する高層マンションの建設などが急ピッチですすめられてきた。このようなインフラ投資をすすめるには、インド、中国のいずれの大国に頼るべきかということが、モルディブの政治エリートたちの争いの焦点となってきたのだ。

このモルディブをみずからのもとにつなぎとめようと、インドと中国の両権力者は投資を競いあってきた。

中国権力者にとっては、インド洋上のシーレーンの中心に位置するモルディブは「一帯一路」の「海のシルクロード」の中間地点をなし、将来的には艦船寄港地など軍事的拠点としての〝価値〟も見込める要衝である。かたやインド権力者は、インド洋におけるみずからの「属領」と位置づけてきたモルディブが中国の〝拠点〟と化すことなど許すわけにいかない。

今回の選挙結果に、ここ最近「一帯一路」経済圏づくりの行き詰まりに逢着している習近平政権はひとまず胸をなでおろしたにちがいない。だがインド・モディは、選挙結果を受け入れはしたものの、このまま黙ってはいないであろう。

「グローバル・サウス」諸国のとりこみをめぐって相争う「大国」中国とインド、その角逐の焦点として浮かびあがっているのが、両大国に翻弄されてきた〝沈みゆく小国〟モルディブなのである。

四ヵ月遅れの島嶼国サミット

南太平洋諸国の抱き込みに狂奔するバイデン政権

二〇二三年九月二十五日、アメリカ・ワシントンのホワイトハウスにおいて、太平洋の十八ヵ国・地域の首脳らを集めた「太平洋諸島フォーラム（PIF）」首脳会合が開催された。

この会合はもともと、五月のG7広島サミット直後に米大統領バイデンがパプア・ニューギニアを訪問して開催する予定であった。ところが会合の直前になって、「債務上限問題をめぐる共和党との交渉

のため」という理由でバイデンがドタキャン。〝メインゲスト〟不在となった会合に、わざわざパプア・ニューギニアに集まった太平洋島嶼国の首脳らは完全に白けきったのであった。この取り戻しをかけてバイデンが開催を呼びかけたのが、国連総会にあわせて諸国の首脳らが訪米するタイミングをねらった今回の会合にほかならない。

この会合に際してバイデンは、島嶼国の首脳らを異例のかたちで〝厚遇〟した。首脳たちが国連総会を開催していたニューヨークからワシントンへと移動する際には、特別列車を手配。道中ではアメリカン・フットボールの試合の観戦をも盛りこんだ。ワシントンに到着してからは、バイデンが主催するホワイトハウスでの首脳会合のみならず、国務長官ブリンケン主催の夕食会も開催。一連の会合をつうじ

てバイデン政権は、地球温暖化にともなう海面上昇によって水没の危機にある島嶼国へのインフラ支援や、違法漁業の取り締まりの訓練を名目としての米沿岸警備隊の派遣などを相次いでうちだし、島嶼国権力者たちの歓心を買うことに躍起となった。

さらにバイデンが今回の会合の目玉としたのが、クック諸島とニウエを国家として承認することであった。あわせて大阪市ほどの面積の島々に約一万八〇〇〇人が暮らすクック諸島や、人口約一八〇〇人の小国ニウエ。これまで見向きもしなかったこれら太平洋に浮かぶ諸国にたいして、突如として外交関係の樹立に奔走したのがバイデン政権であった(左頁の地図参照)。

これほどまでにバイデン政権が太平洋島嶼国との政治的・経済的関係の強化に血眼となったのは、中国の習近平政権がこれら島嶼国へのインフラ支援などの経済援助をテコとしつつ軍事的協力関係の強化にのりだしていることに対抗するためにほかならない。

だが、こうしたバイデン政権の見え見えの思惑を承知している島嶼国の権力者たちは、アメリカの経済支援には笑顔で「歓迎」の意を表しつつ、「われわれは太平洋を平和地帯と考えなければならない」(国連総会でのフィジー首相の発言)というように、南太平洋を舞台として米中が角逐をくりひろげることを拒否する姿勢をも示したのであった。

それぱかりではない。パプア・ニューギニアでは、五月に政府がバイデン政権との軍事協力協定を締結したことに反対して、学生たちが抗議デモに起ちあがった。バヌアツでは、親欧米のカルサカウ政権が昨年十二月にオーストラリアとの軍事協定を締結したことにたいする人民の怒りが高まり、政権が倒壊した。(今年九月に中国寄りとされるキルマン政権が発足。キルマンは、中国との軍事協定を結んでいるソロモン諸島の首相ソガバレとともに、バイデン主催のPIF首脳会合を欠席した。)中国に対抗して太平洋諸国との軍事的関係を強化しようとしているアメリカおよびその同盟国にたいして、人民は怒りを高めているのだ。

こうして、中国に対抗して太平洋島嶼国権力者との政治的・経済的・軍事的関係を強化するというバイデン政権の策動は、この地域の人民の怒りを買い、行き詰まりをあらわにしている。

太平洋を舞台としての米中の角逐を今こそ打ち砕こう！

(上)ロシアがアブハジアのオチャムチレに基地建設
(右)アゼルバイジャンが併合したナゴルノカラバフ

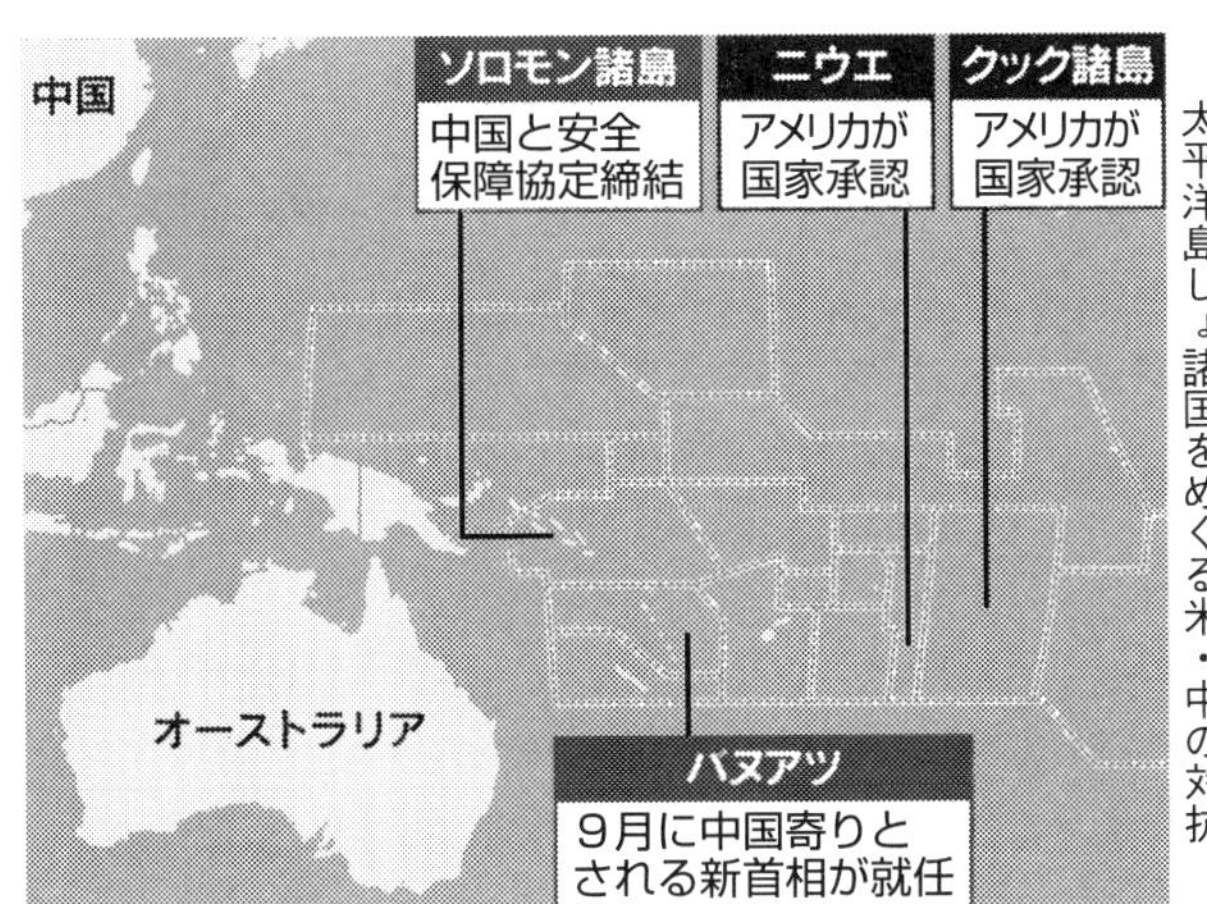

太平洋島しょ諸国をめぐる米・中の対抗

灼熱化する地球

温暖化抑制策を骨抜き化する欧・米・日・中権力者

菖田常雄

世界各地を襲う熱波、山火事、干ばつ、大洪水

今二〇二三年の夏、全世界は空前の猛暑に覆われた。殺人的な熱波によってギリシャやハワイ、カナダ、シベリアなどでは大規模な山火事が発生し、中東や北アフリカでは大干ばつが甚大な被害をうみだしている。同時に高温の海水がつくりだした強力な台風（ハリケーン・サイクロン）によって、世界各地で大洪水や土砂崩れが多発しているのだ。

こうした大災害を引きおこしているのは地球の高熱化・灼熱化だ。いまや世界の平均気温と海水温がともに観測史上最高を記録している。八月の世界平均気温は産業革命前に比して一・五度も高くなったという。二〇一五年のＣＯＰ21（気候変動枠組み条約第二十一回締約国会議）で締結された「パリ協定」に謳われている〝今世紀末までの気温上昇抑制目標〟がすでに破られる寸前なのだ。この原因が温室効果

ガスとりわけCO_2の濃度上昇によるものであることはいうまでもない。現在の大気中のCO_2は人類史上最高の約四二〇PPMであり、その濃度はさらに上昇を続けている(八六頁のグラフ参照)。

地球の高熱化がうみだしている被害は、先進国においても後発資本主義国においても、労働者階級と貧困な人民に集中している。たとえばカナダやアメリカの山火事や土砂崩れの被害は、富裕層がいちはやく避難した後に残された貧困な人民に集中している。熱中症によって死に追いやられているのも、電気代の高騰のゆえに冷房を使えない貧困層の人民だ。

ネオスターリニスト国家・中国において頻発している大洪水の被害もまた、貧しい農民や勤労人民に集中している。中国の国内「環境難民」は六〇〇〇万人以上だという。

先進諸国よりもケタ違いに甚大で深刻な被害を被っているのが後発資本主義諸国の人民だ。北アフリカから中東・南アジアの諸国は二~三年ごしの大干ばつに襲われて食糧危機に突き落とされている。たとえばエチオピアやケニア、ソマリアなど東アフリカでは九〇〇〇万頭いた家畜が大干ばつで全滅したという。リビアでは巨大台風(メディケーン)の豪雨によって二つのダムが決壊し、数万人の住民が水死させられた。こうした大災害によって農業や牧畜を営むことができなくなった人民は、故郷を捨てて移住するほかない。そうした「環境難民」が全世界で約二億人にのぼると国連機関は推定している。

いまや事態は、さらに悪化する方向に向かっている。ロシアのウクライナ侵略が惹起させたエネルギー危機――ロシア産天然ガスの供給途絶と天然ガス・石油の価格高騰――のもとで、「地球温暖化抑制」の旗手を自任してきたEU諸国の政府が石炭火力発電の再開と原発推進にカジを切ったのだ。それゆえ国際的なCO_2排出削減政策は実質上空洞化させられ、欧・米・日などの独占諸資本とネオスターリン主義国家・中国の諸企業などは、大量にCO_2を排出しつづけている。このような事態を許しつづけるならば、そして根本的には現代世界の根底的転覆をなしとげないかぎり、十年後、二十年後の世界は、今よりさらに猛烈な高熱化と大災害に襲われるであろう。南極とグリーンランドの氷河が急速に溶けているがゆえに海水面が上昇し、太平洋やカリブ海の島嶼諸国は文字どおり国土消滅に向かっている。またヒマラヤとそれに連なる山脈群の氷河が急速に縮小しているがゆえに、中国やインドなどユーラシア大陸に暮らす約四〇億人の水源となっている大河が枯渇しかねないのだ。

地球の高熱化は、熱核戦争に転化しかねない米—中・露の激突とともに、まさに人類存亡の危機を切迫させているのである。

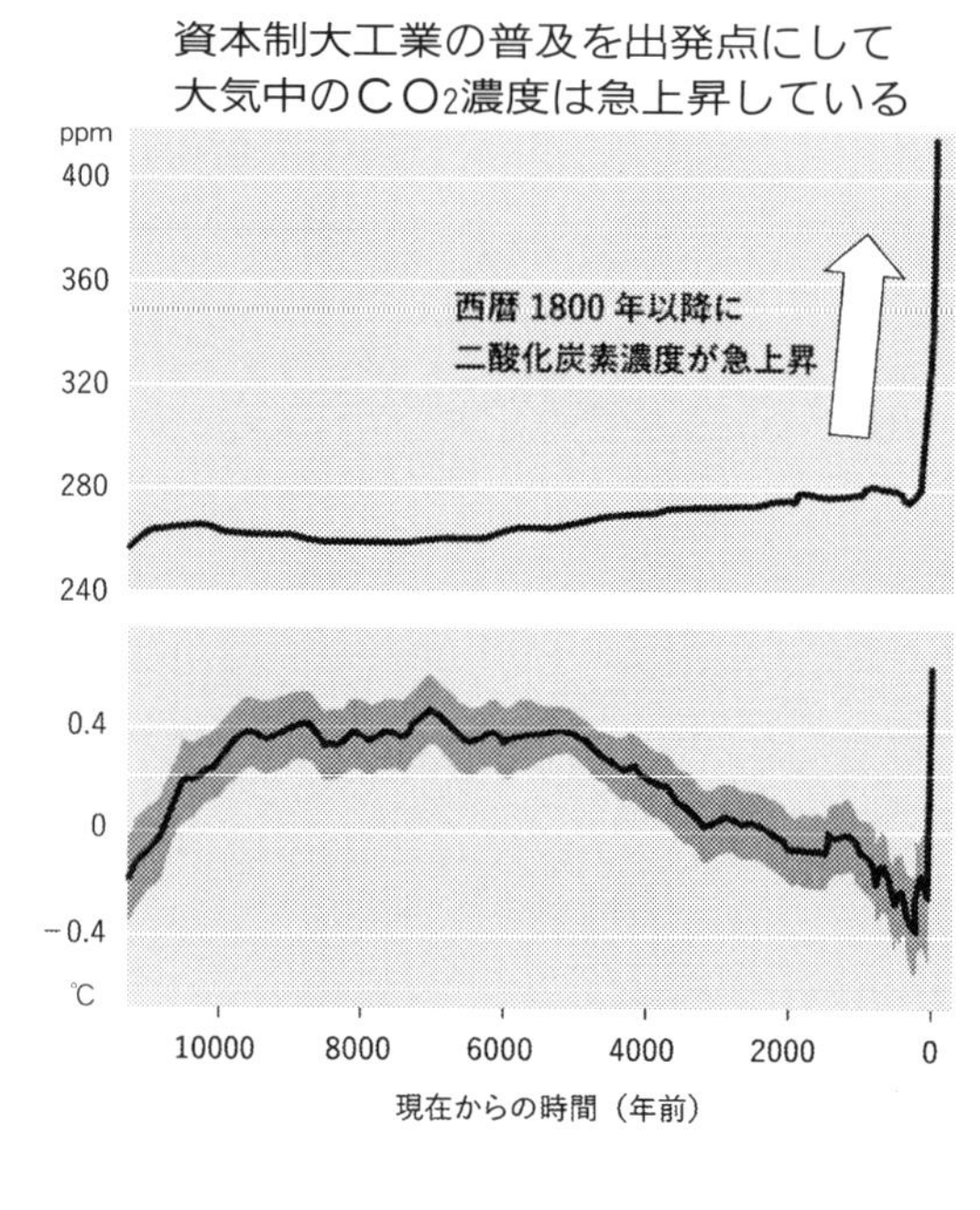

ウクライナ侵略に直面し石炭火力発電の再利用に走る欧州諸国権力者

史上空前の高熱化が世界を襲っているときに、しかも「パリ協定」で合意した気温抑制目標が破られる寸前になっているときに、これまで「地球温暖化抑制」を国際公約してきた欧州・アメリカ・日本などの帝国主義諸国権力者は何をやっているのか。これらの権力者どもは、ロシアのウクライナ侵略が引きおこし・国際的な金融投機によって倍加させられたエネルギー危機（石油・天然ガスの価格高騰）のもとで、これまで掲げてきた「CO_2排出量削減」政策を、目標は掲げたまま実質的に棚上げにして、石炭火力発電所の再利用と原子力発電推進に走っている。まさにそうすることによって地球の高熱化と環境破壊をヨリ加速させているのである。

石炭火力発電を再開し、国内炭鉱の再開発と世界各地からの石炭輸入に狂奔しているのがドイツのショルツ政権だ。ウクライナを侵略したロシアに制裁をかけたＥＵにたいしてプーチン政権が逆制裁として天然ガスの欧州向け輸出を削減した。これに直面したドイツ政府は、安価なエネルギー資源の安定供給を求める独占資本家階級の利害を貫徹するために、石炭火力発電の再利用にのりだした。ちなみに石炭が燃焼時に排出するCO_2は天然ガスの二倍以上だ。このドイツを先頭にＥＵ諸国がこぞって石炭利用に回帰したことのゆえに、二〇二二年の世界の石炭産出量は史上最高の八〇億トン超となった。このことは、今日の地球灼熱化のもとで世界各国のCO_2排出量が激増していることを示しているのだ。〔欧州諸国が世界中から石炭を買い漁ったがゆえに石炭価格が急騰し、たとえば産炭国である南アフリカは石炭が不足して停電が頻発する事態に追いこまれた。〕

　これと同時にＥＵは、フランス政府の主導のもとに原発を「脱炭素エネルギー源」に認定した（昨年七月）。そのうえマクロン政権は最大十四基の原発を新設する計画をうちだしたのだ〔日本の岸田政権も原発推進に転換した〕。彼らは放射性廃棄物の大量排出による環境破壊と第二第三の「フクシマ」への道を突進しているのである。

　社民党と緑の党と自民党の連立政権であるドイツ・ショルツ政権は、石炭火力発電の再利用については「ＬＮＧ（液化天然ガス）の本格的利用までの緊急措置」であり再生可能エネルギー利用の拡大をめざすと語り、あくまで「脱炭素」政策を維持すると公言している。だが、これまでのドイツおよびＥＵの「脱炭素」政策は、安価なロシア産天然ガスの大量利用を大前提にして策定されていたのだ。この大前提が崩壊した今日、ドイツとＥＵは、看板政策たる「脱炭素」政策そのものの破綻を突きつけられているのである。

　ドイツを盟主とするＥＵは、従来は安価なロシア産天然ガスを利用して「エネルギー・コスト」を低く抑えながら、したがって自国独占資本の利益をまったく侵害することなく、「二〇五〇年までにCO_2排出を実質ゼロにする」という高いCO_2排出削減目標をアメリカと日本に先んじて掲げた。そうすることで「地球温暖化抑制」策の主導権をＥＵが握りＥＵに有利な「環境基準」たとえば「二〇三五年エンジン車の新車販売禁止」などといったそれを世界標準として米・日や中国に強制し、もって域内独占資本の国際競争における勝ち残りをはかる諸政策をうちだしてきたのだ。

だがいまや、この政策の大前提たるロシア産天然ガス利用が不可能になった。にもかかわらず緑の党を連立与党とするドイツのショルツ政権が「脱炭素」政策を維持する姿勢を示し、「再生可能エネルギー」の一定割合での利用を国民と企業に――補助金付きではあれ――義務化する政策を施行しようとしている。これにたいしてドイツの独占資本家どもは不満を噴きあげて、次々に生産拠点を海外に移転しているのだ。そして与党の社民党や緑の党が支持率を低落させているのにたいして「脱炭素政策は金持ちとインテリの政策だ」と現政権を非難している極右政党ＡｆＤが支持率を伸ばしている。ショルツ政権は看板政策が破綻しただけでなく、政権そのものが破綻寸前に追いつめられているのである。

このドイツを盟主とするＥＵの諸国政府は、いまや「脱炭素」政策を、目標はそのまま掲げながら、実質骨抜きにしている。北欧やオランダでは反「環境保護政策」を標榜し「脱炭素」政策そのものを否定する右派政党が政権掌握を狙っている。この連中が政権をにぎったならばＥＵには、――「ウクライナ支援」政策とともに――「脱炭素」政策をめぐっても決定的な亀裂が生じるにちがいない。

こうして「地球温暖化抑制」の旗頭を自任してきたＥＵ（ドイツ）は、「温室効果ガスの排出削減目標を年々野心的に高める」という「パリ協定」で謳われていた国際公約を実質的に反故にしているのである。

「クリーンエネルギー」の名で原発推進に走る米・日両権力者

このようにＥＵ諸国政府が「パリ協定」順守義務を実質的に反故にしているがゆえに、アメリカと日本の両権力者は、EUから非難されることなく、CO_2排出削減目標を達成するための具体策の実施や排出削減目標をヨリ高めるなどの国際公約を完全に棚上げにしているのだ。

もとより米・日両権力者は温暖化抑制策の主導権をにぎるEU諸国に対抗するためにこそ、EUと同水準のCO_2排出削減目標（二〇五〇年にCO_2排出実質ゼロ）を掲げてきた。EUがいちはやく決定し〝先進国のグローバルスタンダード〟たらしめられたこの削減目標、これを守れない国の製品には〝炭素関税〟がかけられたり不買運動の対象にされたりしかねない、加えて「脱炭素」技術分野における国際競争において敗勢に追いこまれかねない。――こうした危機感を抱いた米・日両権力者は、それゆえにEUと同じ削減目標を掲げてきたのだ。それを達成する具体的展望などなんらないにもかかわらず、である。

そもそも日本政府は、福島原発事故後の全原発稼働停止による電力不足をのりきるために、この十年で三十基もの石炭火力発電所を新設し、CO_2排出量を劇的に増大させている。それゆえ日本政府は、毎年のCOPのたびに国際的な非難の的となってきたのだ。

こんにち岸田政権は、増設した石炭火力発電所を温存している。そのうえで、石炭火発や製鉄所の燃費向上だのCO_2地下貯留技術だの水素利用拡大だのといった新たな技術開発を「GX（グリーン・トランスフォーメイション）」の名のもとに、「DX（デジタル化）」とともに「官民一体」で莫大な財政支援を投じて推進する、と公言している。これは日本企業が「脱炭素」分野における国際競争を勝ちぬくための、そして新興国・途上国に売りこむ〝独自技術〟を開発するための、まさに特定の独占資本家に利益を与える諸施策にほかならない。これに労働者・人民から収奪した血税を投入すると公言しているのが岸田政権だ。

同時にこの政権は、ロシアのウクライナ侵略が引きおこしたエネルギー危機のもとで、「エネルギー安全保障」の名のもとに原発推進を傲然とうちだした。核惨事を招きかねない六十年超老朽原発の運転継続を決定したり、世界に放射能をばらまく福島原発汚染水の海洋放出を強行するなどの暴挙に次々と手を染めているのだ。加えてこの政権は、日本の潜在的核兵器製造能力を維持・強化するために核燃料サイクルの確立に狂奔しているのである。

アメリカでは、「パリ協定」順守＝EUとの協調を謳うバイデン民主党政権の「気候変動対策」が、「温室効果による地球温暖化はフェイクだ」とほざくトランプ共和党による議会下院の過半数獲得によって、いまや実現不可能となりつつある。「温暖化対策不要・パリ協定離脱」を叫ぶトランプ共和党を支持する石油エネルギー独占資本家などと、地球高熱化の抑制とりわけ「脱炭素」技術開発に利害を見いだす部分とに、いまやアメリカの政府・支配階級は真っ二つに分裂しているのである。

昨年の中間選挙前の八月にバイデン政権は、温暖化抑制策を盛りこんだ「気候変動・インフレ対策法」を成立させた（それじしん共和党の反対によって修正を重ねて成立させた）。この法律には、クリーンエネルギーの柱に原発推進を位置づけるといった反人民的な施策と、電気自動車や蓄電池の製造を促進する特定のアメリカ資本を優遇するような施策が列挙されている。後者は「脱炭素」技術開発をめぐる国際競争におけるアメリカの優位を確立するためのものだ。

この「脱炭素」促進政策に支えられたアメリカ製造業独占資本家どもは、自企業の事業再編に突進し、あらゆる犠牲を労働者に強いている。その典型例が自動車独占資本家だ。彼らはEV開発のために既存の生産設備を改廃し、労働者に解雇・配転や低賃金などの犠牲を強制している。この資本家どもを「気候変動対策」の名で財政的に支援しているのがバイデン政権だ。〔このバイデンを非難しヌケヌケと〝自動車労働者の味方〟を自称しているのがトランプだ。この男は、民主党の温暖化対策がアメリカ製造業を衰退させ労働者の雇用を奪ったと非難している。これに対抗するためにバイデンは、全米自動車労組のストライキを支援するパフォーマンスを演じた。〕

こうしてEUと米・日の帝国主義権力者どもは、国家エゴをむきだしにして、地球灼熱化をさらに深刻化させているのである。

世界一のCO$_2$排出国＝中国――習近平政権の犯罪

同時に、いまや世界一のCO$_2$排出国となったネオスターリン主義国家・中国の習近平指導部の犯罪性も明らかである。「社会主義市場経済」の名のもとに地方政府傘下の国有企業や民営大企業に利益第一の経営を実施させ、過去も現在もすさまじい大気汚染・水質汚染・様ざまの公害の被害を勤労人民に強制しているのが北京官僚どもだ。

こんにち習近平指導部は「エコ文明建設・全面グリーン転換」の標語を掲げ「大国としての責任」をはたすべく温暖化抑制に尽力しているかのような姿勢を内外に示している。中国が太陽光発電パネル生産世界一、EV生産世界一であることを誇示してもいる。だがこれら「エコ」製品生産の基礎には、石炭・石油を大量に消費し膨大なCO$_2$を排出している中国の電力・鉄鋼産業が存在しているのだ。中国製の太陽光パネルもEVも、まさしくCO$_2$大量排出の産物なのである。

しかも習近平政権は、中国が世界一のCO$_2$排出国であることを棚に上げて、そして途上諸国に進出した中国企業が乱開発・環境破壊にあけくれていることを無視抹殺して、多くの途上諸国とともに帝国主義国による地球環境破壊の被害者としてふるまっている。まさにご都合主義！

中国政府は昨年十一月にエジプトで開催されたCOP27において、地球高熱化の被害を受けている最貧国にたいして先進諸国が「損失補償」をするための基金を設立せよという提案を、「後進国の一員」として多くの途上国政府とともに提案し・それをCOPの合意たらしめた。この提案に反対した米欧の政府はいわゆる「グローバルサウス」諸国の後進国ナショナリズムにもとづく結束におしきられたのである(註)。

だが、この基金の出資国にGDP世界第二位の中国が加わるべきだという欧・米諸国政府の提案を中国は頑強に拒んでいる。中国は「途上国」であり地球高熱化の〝加害者〟ではないと強弁しているのだ。まさしく地球高熱化とその深刻な被害の問題それ自体を「グローバルサウス」諸国の抱き込みのネタとして利用しているのが中国権力者であり、また米欧諸国の権力者どもなのである。

いまや米・欧・日の帝国主義諸国の独占資本とネオスターリン主義国家・中国の諸企業が、CO_2を大量に排出して地球を灼熱化させている。同時に米・欧・日と露・中は、核兵器開発と結びつけるかたちで原発の建設と稼働に突進している。膨大な放射性廃棄物をうみだし、原発事故の惨禍をくりかえそうとしているのだ。そもそも、地球高熱化の原因であるCO_2の大量堆積は、歴史的には資本制大工業の西欧や北米への普及(一八〇〇年〜)を淵源とし、さらにアメリカにおいて形成された「大量生産・大量消費・大量廃棄」を特徴とする国家独占資本主義の経済形態が第二次世界大戦後に「西側」世界に拡がったこと、これによって爆発的に加速された。同時に、「アメリカに追いつき追い越せ」を標榜して社会主義経済建設に突進したソ連邦のスターリン主義官僚指導部が、彼らの「生産力の上がらない生産力主義」にもとづく官僚主義的計画経済によって資源大量浪費と自然破壊に突進した。こうした帝国主義とスターリン主義の〈悪〉が、全世界の労働者・人民を生存の危機に、貧困と飢餓と戦争のただなかに突き落としているのである。

問題は、帝国主義とスターリン主義の〈悪〉を断ちきることのできる階級的力を場所的にいかに創造するのかの一点にかかっているのである。地球の灼熱化・高熱化のなかでわれわれは、怒りを新たにして、反スターリン主義運動の前進のために断固奮闘するのでなければならない。

註　地球環境破壊の原因をつくってきた先進国がその被害を受けている後進国に〝損害賠償〟すべきことを、後発資本主義諸国は、一九九二年の「リオデジャネイロ地球サミット」いらい一貫して要求してきた。三十年間これに頑強に反対してきた米・欧の帝国主義諸国が、COP27においてこの要求を呑んだ。中国は〈南〉の諸国の動きにのっかったのである。

「職務給導入」は労働者に何をもたらすか

岸田式「三位一体の労働市場改革」の正体

斯波顕太

A　日本帝国主義生き残りのための労働改革

岸田政権はいま、米・中激突下の〝新たな経済ブロック化〟ともいうべき情勢の激変のなかで日本帝国主義が生き残るために、「新しい資本主義」なるシンボルを掲げ、「DX（デジタル革命）」や「GX（脱炭素革命）」を基軸とする大規模な産業再編に突進している。そして、この産業再編を進めるには「年功賃金制などの戦後に形成された雇用システム」から脱却しなければならないと叫びたて、「三位一体の労働市場改革」なるものを呼号している。

この「三位一体改革」とは、①「リ・スキリングによる能力向上支援」、②「個々の企業の実態に応じた職務給の導入」、③「成長分野への労働移動の円滑化」の三つを「一体」で進めることとされている（「新しい資本主義実現のグランドデザイン及び実行計画・二〇二三改訂版」、二〇二三年六月閣議決定）。

日本の産業構造転換を加速するために、旧産業分野の労働者に新産業で必要となる技術・技能の習得を強制する（①）。それによって既存の労働者をふるいにかけ、新技術を習得した労働者には新産業への移動をうながすとともに、「習得できない」と烙印した労働者にたいしては退職・解雇や他の仕事への転職を強制する（③）。また、労働者の企業間移動を促進したり「外国人材」を引きつけたりするために、従来の年功賃金に替えて「世界標準」でもある職務給を導入する（②）。――これらを一挙に同時に推進するというのが、この「改革」なのである。

新卒一括採用、内部昇進制、ＯＪＴ中心の企業内教育、年功的賃金制（定期昇給や退職金制度）、終身雇用制などを特質とする日本的な労働雇用慣行。――かつては「世界に冠たる日本的雇用」などと自画自賛してきたこの慣行・制度について、日本の独占資本家どもは、一九九〇年代の「バブル崩壊」以降に「制度疲労」とか「時代遅れ」とかと烙印してそこからの脱却をはかってきた。けれども、この三十年間における日本の産業力の衰退は覆うべくもなく、いまや「ＤＸ」や「ＧＸ」を焦点とするグローバル競争に完全に立ち遅れてしまっている。この〝日本沈没〟の苦境をのりきるために岸田政権は、半導体などの「軍民両用」の戦略的産業やＤＸ・ＧＸ関連の新産業を莫大な国家資金を投じて育成するとともに、産業・企業のスクラップ・アンド・ビルドを促進することに狂奔している。このような大規模な産業再編を進めるために、この政権は、労働者の大量首切りや賃金切り下げにとって〝桎梏〟となるとみなした日本的労働慣行の残滓を一刻も早く破棄し清算しようとしているのである。

このような「三位一体改革」は、数多の労働者たちを首切りと失業の生き地獄に突き落とし、さらなる賃金切り下げと貧窮化を強いるものにほかならない。

以下では、岸田式「労働市場改革」の中心環としておしだされている「個々の企業の実態に応じた職務給の導入」なるものに絞って、その悪らつさを暴くことにする。〔「リスキリング」と「労働移動の円滑化」については、本誌第三二三号所収の飛鳥井論文を参照せよ。〕

B　なぜ・いま「職務給導入」なのか？

「賃金低迷」をめぐる妄言

政府がいま、「職務給導入による構造的賃上げ」などと言いだした理由は、次のような言辞を見れば明らかである（「実行計画」）。

「吾が国の賃金水準は、長期にわたり低迷してきた。」「諸外国との賃金格差は拡大し、先進諸国間のみならず、アジアにおける人材獲得競争でも劣後するようになっている」。「職務給の個々の企業の実態に合った導入等による構造的賃上げを通じ、同じ職務であるにもかかわらず、日本企業と外国企業との間に存在する賃金格差を……縮小する」と。

日本の「賃金水準の低迷」が諸外国との「賃金格差」をうみだし、そのゆえに激化しているグローバルな企業間競争に勝ちぬくために必要な人材がまったく集まらない。このままでは米欧諸国やアジア諸国との「人材獲得競争」に完敗してしまう。――このような危機意識に彼らは駆られているのである。

だがそもそも、この先進国に類例を見ない「賃金水準の低迷」こそは、この三十年間にわたって正規雇用を非正規雇用にどんどん切り替え、労働者の賃金を徹底的に低く抑えつけてきた独占資本家どもの労務政策の貫徹結果いがいのなんであるのか。

日本の独占資本家どもは、国内労働者の賃金低下が国内消費の低迷をもたらすことは百も承知で、「最適地生産」と称して海外に進出し、アジアの安価な労働力を使って荒稼ぎをしてきた。国内では「人件費削減」を自己目的化し、雇用労働者の首を容赦なく切り捨て、〝仕事を続けたければ非正規雇用になれ〟と迫って賃金切り下げを強制してきた。そしてこうした経営＝労務政策を採る大企業を日銀やGPIFの株式(ETF)購入による株価つり上げや優遇税制で全面的に支援しつつ、国内消費の減退を「インバウンド」と称する海外富裕層の呼びこみによって緩和しようとしてきたのが、歴代自民党政権なのだ。こうした政府の手厚い支援に支えられて、日本の大企業はいまや五〇〇兆円を超える膨大な内部留保を積み上げているのであり、その対極で労働者たちは先進資本主義国のなかでも最悪の賃金低下を強いられてきたのだ。

まさしく独占資本家どもは、みずからの利益拡大のために国内労働者の賃金抑制＝窮乏化を意図的におしすすめたのである。

この資本家どもの強欲な所業をおし隠して、資本家どもがみずから招いた「人材獲得競争での劣後」に驚きあわて、独占資本救済のために、外国との「賃金格差の縮小」を、いま声高に叫びはじめたのが、岸田政権なのだ。

「IT高度人材」の払底

もちろん、こんにち岸田政権が「賃金水準の向上」をおこなう必要があると考えているのは、とりわけ「DX」・「GX」関連の新産業で必要とする高度な技術性・技能性をもった労働者たちについてである。

政府・経済産業省は、「DX」や「GX」をめぐる世界的な大競争のなかで日本の産業・企業を生き残らせるために、これらの新分野で世界に伍する産業・企業を(外資系企業の誘致を含めて)国内に創出しようと躍起になっている。けれども、そうした新産業を担う技術労働者・とりわけ「IT高度人材」と呼ばれるような技術労働者は、国内では絶対的に不足している。〔経産省は、「IT人材」がすでに二〇二〇年に三〇万人不足しており、このままいけば二〇三〇年には最大八〇万人が不足する、と予想している。〕

たとえば政府・経産省は、「国内半導体産業再興」の切り札として、莫大な国家資金を投入して国策会社ラピダスを起ちあげ、〝日の丸先端半導体〟を製造するという計画をうちだした。けれども日本の電機産業は米・台・韓などとの国際競争に惨敗して先端半導体の開発から撤退して久しく、ラピダスが標榜するような最先端半導体(回路線幅2ナノメートル)の開発や量産化を担える技術者などは国内に皆無なのだ。たとえ泥縄式に高専や大学に半導体技術者の養成部門をつくったとしても、日進月歩の半導体開発競争のなかではとうてい間に合わない。それゆえに政府は、そうした技術者を台湾・韓国・インドなど諸外国からのリクルートによってまかなおうと皮算用しているのである。これは他のデジタル産業分野でもまったく同様である。

しかし、いま「IT高度人材」と言われるような新たな種類の技術労働力は、国際的にも企業間での激しい奪いあいになっている。そうした状況のなかで海外の「IT高度人材」の獲得にとって、政府が最大の〝障壁〟とみなしているのが、「日本企業と外国企業との間に存在する賃金格差」なのだ。或る調査によれば、アメリカのIT技術者の平均年収に比して日本のそれは半分以下であり、日本のIT技術者の賃金水準はOECD加盟国の中で最低水準に転落した、という(急速な円安がこの傾向を加速している)。これでは、海外からIT技術者を集められないだけでなく、国内で育てた日本人技術者がどんどん海外企業に奪われてしまう、と危機感を募らせているのが、政府・経産省なのだ。

それゆえに、海外の労働者を含めて「IT高度人材」(AIエンジニアとかデータサイエンティストとかのそれ)を外国企業と争って獲得するためには、最初から〝世界相場〟に見合った高い賃金を支払わなければならない。そのためには「賃金の世界標準」である職務給型の賃金を導入しなければならない。——このように政府は考えているのである。

C 「職務給導入」による賃金格差の拡大

資本家にとっての〝職務のネウチ〟

では、職務給とは何か?

職務給は、企業内の諸職務(ジョブ)を資本家的観点から格付けし、それに応じて賃金の高低を決定する賃金支払い形態である。これを、経団連などは「職務（仕事）の価値に応じた賃金体系」などと称している。

企業経営者は、自企業内でおこなわれている諸職務を分類・定義し（ジョブディスクリプション）、それぞれの職務を、仕事の難易度やそれに必要な技術性の高低だけでなく企業にとっての重要度などをも〝秤量〟して点数化し、それにもとづいて格付けする（職務等級）。このような「職務の価値」等級を基礎とし・それにリンクした賃金表にもとづいて、それぞれの職務を担っている個々人に賃金を支払う。ここで言う「職務の価値」とは、利潤拡大を目的とする資本家的経営にとってどれだけ〝有益〟で〝有効〟かということの恣意的評価にもとづくそれである。一言で言えば〝資本家にとってのネウチ〟のようなものでしかない。

このような職務給を導入した資本家は、彼らが必要とするＩＴ系の専門的諸職務については「企業にとって重要度が高い」とみなして高い等級に格付けし、それに見合って高い賃金を提示するのである。

また一般的な労働過程・業務過程そのものが全面的にデジタル化されていくなかでは、システムエンジニアのような高度専門職的な技術労働者でなくても、デジタル機器・業務用ソフトを過不足なく使えるような非専門職的な技術労働者をも、企業は大量に必要としている。このような技術労働者は、子どもの頃からデジタル機器で遊び・それで学んできたような世代、いわゆるデジタル・ネイティブ世代から確保するほかない。この種の労働者を、少子化による労働力人口の激減のなかで集めるためには、「高度人材」ほどでなくても〝それ相応〟の高い賃金を支払わなければならない、と彼らは考えているのだ。

独占資本家どもは、こうした高い賃金で、デジタル技術に習熟し・または習得した技術労働者（その予備軍たる新卒者を含む）を引きつけ、他企業との人材獲得競争にうち勝とうとしている。そのためにこそ彼らはいま、「職務の価値に応じた賃金」と称するところの職務給型賃金の導入を急いでいるのである。

岸田政権が、あえて個別企業の賃金支払い形態にまで踏みこんで「職務給導入」を奨励しているのは、〝国の存亡〟にかかわる日本の「人材獲得競争での劣後」を打破するために、これらの独占資本家どもの追求を一挙に加速させるためなのだ。

〔岸田政権が「職務給導入」を個々の企業に求めているのは、それによって特定の職種・職務についての企業横断的な賃金相場（「市場価値」）を形成し、もって専門職的・非専門職的な技術労働者の産業間・企業間の移動（非成長分野から成長分野への移動）を促進するためでもある。〕

〝ふつうの労働者〟の賃金切り下げ

だがもちろん、「職務給導入」は、いわゆる「高度人材」ではないところの〝ふつうの労働者〟たち・つまり大多数の労働者たちにとっては、まったく異なる意味をもっている。

資本家どもは、若年の技術労働者にこれまでよりも遙かに高い賃金を支払うからといって、「総額人件費」を増やしたりはしない。彼らが新規採用者や若年層への支出を増やすばあいでも、自企業の「総額人件費」を一定水準に維持（あるいは削減）することを前提としてそうするのであって、そのぶん既存の中高年労働者たちへの支出を減らそうとするのである。そのやり方は二つである。

第一に、既存の労働者のうちで「新たな技術を習得できない」とみなした労働者にたいしては、年齢や勤続年数にかかわりなく低い等級に格付けし（これは実質上の降格となる）、賃金をこれまでよりも切り下げ、低く抑えつける。

第二に、こうした降格・降給をも手段として、多くの中高年労働者に「早期退職」を強要するのである。――「ジョブ型人事制度」を導入した富士通の経営陣は、このやり方で三〇〇〇人以上の中間管理職を「早期退職」に追いこんだ。

要するに独占資本家どもは、「IT人材」の獲得のためにそれらの技術労働者の賃金を大幅に引き上げることと、既存の一般的労働者（とりわけ中高年労働者）の賃金を大幅に引き下げる・または退職を強制することとをワンセットでおこなおうとしているのだ。この二つを同時におこなうためにこそ、彼らは、年功的要素を排除したところの職務給型賃金の導入を進めているのである。

同時に岸田政権は、「職務給導入」を、既存の労働者たちにリスキリング（職種転換のための新技術習得）やスキルアップ（技術・技能の向上）を強制するテコたらしめることをも狙っているのだ。職務給型の賃金では、労働者はヨリ上位の等級にランクされた職務に移らない限り、賃金は上がらない。そして上位の職務に移るには、その職務を担いうる新たな種類の技術性（異種的異質性）をみずから習得しなければならないからである。すでに職務給を導入している企業では、こうした上位職務への移行は、ポスティング制度という社内公募制度によってなされている。賃金を上げてもらいたければ、また降格・降給になりたくなければ、〝主体的に〟リスキリングやスキルアップに励め、というわけなのだ。

岸田の言う「職務給の導入による構造的賃上げ」とは、まさに右のようなものにほかならない。それは、現下の産業構造・事業構造の大転換のなかで、新しい「成長分野」で「価値〔企業にとってのネウチ〕が高い」と評価される職務を担い、みずから技術性の向上に励んで生産性向上に「貢献」するような労働者に限って、その賃金を引き上げる、ということなのだ。いいかえれば、「価値が低い」とみなした諸職務に就いている大多数の労働者の賃金については低い水準で固定化する、そのような「構造」をつくるということなのだ。政府が推奨する「職務給導入」とは、同じ企業で働く労働者間の賃金格差を極限的にまでおし拡げるものなのである。

「ジョブ型雇用」への転換

岸田政権が、「職務給」を「ジョブ型人事」と等置していることからも明らかなように、右のような「改革」をつうじて彼らがおし拡げようとしているのは、つまるところ「ジョブ型雇用」の日本版のようなものである、と言ってよい。

「ジョブ型雇用」とは、企業内でおこなわれている諸職務＝ジョブに合わせて労働者を雇用し、賃金（職務給型のそれ）を支払う雇用形態である。労働者を雇用するときには、これらの職務の定員に合わせて個々の労働者と労働契約を結び、それぞれの職務に配置する。その労働者が同一職務を担いつづける限り、基本賃金の水準は何年勤続しても上がらない。企業が当該の職務を必要としなくなったばあいには（また定員を減らそうとするばあいには）、その職務を担ってきた労働者は「過員」とされる。彼は、みずからリスキリングに励んで他職務に移る努力をしないかぎり、「整理」の対象とされるのである。

独占資本家どもは、このような「ジョブ型雇用」を、時々の事業転換や業績の変化に対応して雇用労働者の配置と数を〝柔軟〟に変化させることができる好都合なものとみなし、だからまた「人件費コスト」の縮減のためにも〝合理的〟な雇用形態であるとみなして、それへの転換を急いでいるのである。数多の労働者に苛酷な犠牲をおしつける「ジョブ型雇用」への転換――これを一挙に加速するために、岸田政権はいま、「三位一体の労働市場改革」なるものに突進しているのだ。

岸田政権が企むこの「労働市場改革」は、日本の産業・企業の生き残りのために、日本的労働慣行を根本的に破砕し、それによって労働者に大失業とさらなる賃金低下を強制する歴史的な大攻撃にほかならない。それにもかかわらず、岸田政権に「実効性ある雇用のセーフティネット」を求めるだけで、こうした労働改革を基本的に容認し、それへの協力を誓っているのが、「連合」芳野指導部なのだ。

日本の労働者たちに大量解雇とさらなる貧窮化を強制する岸田式の「労働市場改革」を許すな！

（二〇二三年十月十五日）

＜本誌掲載の関連論文＞

・軍事強国化と一体の岸田式「新しい資本主義」　斯波顕太　（第三二六号）
・「DX」と大失業・ギグワーカー化　飛鳥井千里　（同）
・「構造的賃上げ」を叫ぶ政府・独占資本家への屈従宣言　津軽静一　（第三二五号）

電機連合第七十一回定期大会

政府の軍拡・改憲・原発推進を翼賛する労働貴族を許すな

文倉　綿

二〇二三年七月七日に開催された電機連合第七十一回定期大会では、電機連合本部と大手企業労組指導部が主導して、二〇二三春闘の総括と「二〇二二・二三年度運動方針の補強」が原案どおり確認された。彼ら労働貴族は、本大会を二〇二一年度に制定した「中期運動方針」(註)を「具現化する大会」として位置づけ、「一人ひとりが輝く持続可能な社会の実現」に向けて「これまで以上に政策・制度実現力の強化をはかる」こと、そのための「組織力の強化」を誓いあったのである。

われわれはまず、昨二〇二二年七月の電機連合第七十回大会から組合員が五三〇〇名も激減する事態を許している電機労働貴族どもを弾劾しなければならない。電機独占資本家どもは、DX(デジタル化)やGX(脱炭素化)をめぐる国際競争に敗退しているなかで、行政のデジタル化、AI(人工知能)・量子コンピュータ・半導体の開発、防衛・軍需産業の拡大、原発再稼働などの日本政府の国策推進を渡りに船として、自企業の生き残りのための道を突進している。組合員の激減は、このようなドラスティックな事業再編とそれにともなう首切り攻撃に電機労働貴族どもが全面協力しているがゆえなのだ。

本大会で電機連合指導部は、組合員に実質賃金のさらなる低下を強いたわずか「七〇〇〇円」という今春闘の妥結結果について「電機産業労使の社会的役割を果たした」などと開き直っただけではない。電機資本家どもが「ジョブ型人事制度」をどしどし導入していることにたいして、「人事制度は各労使で決めることが重要」と確認することをもって公然と容認した。そして「産別統一闘争」としての賃金闘争は、「賃金水準改善」の目安となる要求を掲げはするが、「賃金のミニマムを課題にする」と称して「最低賃金」要求を軸にとりくむことをあらためて明らかにした。大手六労組（日立、パナソニック、富士通、東芝、三菱電機、ＮＥＣ）が牛耳る電機連合指導部は、二三春闘を敗北に導いた大裏切りを隠ぺいし、「産業・企業の持続的発展」のための「新たな労働運動」を掲げて電機独占資本の事業を万全に支える運動方針にのっとって組合運動を展開することを再確認したのである。

しかも、岸田政権がロシアのウクライナ侵略に乗じて軍拡・改憲策動を強行しているただなかにおいて電機連合指導部は、「連合」芳野指導部とともに、自民党との連携を画策する玉木国民民主党を押し立てて政府・自民党の軍事強国化・改憲策動に協力する「救国」産報運動に電機労働者を動員しようとしているのである。

われわれ革命的・戦闘的労働者は、賃金闘争を最後的に放棄し、〝反戦・平和〟の取り組みを政府の軍拡・改憲・原発推進策動の尻押し運動に歪曲する電機労働貴族どもを弾劾しのりこえてゆかなければならない。彼らの反労働者性を暴きだし電機労働運動を戦闘的に再生するためにたたかおう！

Ⅰ　欺瞞的な二三春闘総括

(1)「賃金水準改善」妥結のまやかし

電機連合本部・各企業労組指導部らは、今春闘の賃上げ妥結――「開発・設計職基幹労働者の賃金水準改善額七〇〇〇円」――について、「電機産業労使の社会的役割」を果たし「日本経済の好循環に向け、全体に波及させた」と総括した。電機連合委員長・神保政史(三菱電機労連出身)は、大会冒頭のあいさつで「十年連続で高い賃金水準改善を実現し波及効果を発揮」したことは「統一闘争の真価」だと強弁した。同時に、「経済の好循環と生活をより豊かにするためには継続した賃金水準改善が必要」、「二四年闘争に向けて準備を進める」と付け加えた。

彼らは、「電機産業の労使」と称して電機独占資本家に奉仕する労働貴族の立場において、〝この妥結が他産業に波及効果をもたらし日本経済に役立つ働きをした〟とアッピールした。そのうえで、実質賃金の切り下げが組合員に隠しようもないことのゆえに、これを組合員にごまかし居直るために「継続した賃上げが必要」と唱えたのである。

だが労働貴族が現実におこなったことは、大手のこの回答を天井にして傘下の中小労組に「二%」以下の妥結を強いるとともに、二〇〇万人を超える電機産業の未組織労働者を放置し、賃上げすら実施されない状況をつくりだしたことではないか！ 彼らが大見得を切った「電機産業労使の社会的役割」とは、全産業の労働者の賃金水準を超低額に抑えこむ役割を果たしたということなのである。われわれは彼らのこの欺瞞的かつ犯罪的な春闘総括を断じて許してはならない。

彼らは、「賃金水準改善」の取り組みの「今後の課題」は電機産業の「未組織労働者の処遇改善」だとはいう。しかしこれをいかに実現するかの対策については一言も語ることがなかった。彼らは、非正規雇用労働者や未組織労働者の労働条件改善にまったくとりくまずにきたにもかかわらず、そのことを省みることもなく、彼ら未組織労働者を組合に加入させ、もって「組合員数の拡大＝組織力」の〝誇示〟に利用しようとしているのである。

われわれ革命的・戦闘的労働者は、電機産業で働くすべての労働者の大幅一律賃上げを獲得するためにたたかわなければならない。

(2)「年齢別最低賃金」要求の後景化

電機連合指導部は、今春の産別労使交渉において日立や富士通の資本家どもが「年齢別最低賃金（二十五歳、四十歳）」の要求を「(ジョブ型) 処遇制度の主旨にそぐわない」と蹴飛ばしたことについて、「労使の考え方に大きな隔たりがあった」と総括した。

以前から掲げてきた「年齢別最低賃金」要求について、昨二二春闘では「職務や能力が重視されればされるほど企業内セーフティネットの年齢別最低賃金が重要」と主張してみせた。しかし今春闘では「セーフティネット」とつぶやくやいなや資本家どもに一喝されてしまった。これにたいして彼らは今大会において何一つ「補強」方針案を提案せず、対策をとろうともしなかった。彼らは来春闘に向けて、「全ての電機労働者の底上げ」と称して「年齢別最低賃金」要求を「産別最賃（十八歳見合い）＝高卒初任給水準」という要求に収れんしてゆこうとしているのである。

ほとんどの電機大手諸企業は、労働貴族の協力を得て「職務にもとづく賃金制度」「ジョブ型人事処遇制度」の導入をすすめてきた。これまで労働貴族は、この動きに棹さすことをもくろんで、年齢的要素が完全に取り払われることへの組合員の不安を抑えこむために、従来どおりの体裁をとって「二十五歳、四十歳」の「年齢別最賃」要求も掲げてきたのである。しかし、「ジョブ型賃金制度」が次々と導入された今、彼らは資本家どもの意を受けて、なし崩し的に「年齢別最低賃金（二十五歳、四十歳）」を後景に押しやり「産別最賃」要求だけにしようとしているのである。

(3)「初任給の引き上げ」と「キャリア形成支援」の重点化

労働貴族どもは「初任給引き上げ」について、すべての中闘組合で「要求水準（高卒一七万六〇〇〇円、大卒二三万円）を改善した」と手放しで評価した。一部の電機資本家は、電機連合の「大卒初任給五〇〇〇円引き上げ」の要求にたいして、人材獲得競争に勝ちぬくためにこれを上回る回答を大々的に発表した（ＮＥＣ＝一万円引き上げて二三万七〇〇〇円、沖電気＝二万五〇〇〇円引き上げて二五万円など）。個別資本家が求める「人材」を確保するためにみずからの必要に応じて他社に比して高い初任給引き上げを発表したのだ。労働貴族どもはこれを、恥ずかし気もなくみずからの交渉の成果でもあるかのようにおしだし、「産業の魅力ややりがい、将来性を高め、優秀な人材の確保につなげた」と喜びあったのである。

電機労働貴族どもは、賃上げ闘争を、産別交渉では「賃上げ相場」の目安となる「開発・設計職基幹労働者」の「賃金改善」と「ミニマム」＝「産別最賃」の確認に解消し、それ以外の賃上げや労働条件改定は各企業労使交渉で決めるとしている。今や電機連合が「春闘要求」の重点として掲げるのは、「総実労働時間短縮」や「組合員のキャリア形成支援」などの「労働協約関連項目」なのである。

この「総実労働時間短縮」要求の内実も「一八〇〇時間程度」という目安にすぎず、現行一九〇〇時間台という組合員の労働実態を改善する方法については触れもしなかった。各企業労組が各資本家の顔色を見て対応すればよしとする形ばかりのものなのである。

彼らが最も力を込めてとりくむとするのは、「一人ひとりのキャリア形成に向けた取り組み」とか「組合員のキャリア形成支援」とかと称する資本家の人事・労務政策を尻押しする「要求」である。今大会では、これを運動方針の「追加事項」として決定した。電機連合本部・各企業労組執行部は、資本家にたいしては「〔労働者に〕求められるスキルを明確にしてリスキリングを含む教育訓練の機会提供」を要請し、労働者にはみずから「意識改革とキャリア形成に向けて具体的に行動に移す」ように促すことを誓いあったのである。彼らは電機資本家による「ジョブ型賃金制度」導入を受け入れこの運用の緻密化に全面協力しているがゆえに、春闘要求をこのようなものに歪めようとしているのである。

これらの課題は産別・企業別の労使交渉のみで実現できるわけではない。そのために電機連合指導部は「電機産業の発展と社会課題の解決の取り組み」と称して、電機資本家どもが政府の産業政策――DX、GX、AI、量子コンピュータ、半導体、軍需、原発再稼働などにかんするそれ――の実施をチャンスとして、生き残りをはかるためにすすめる事業再編や人事労務政策の実現に協力し、これを尻押しする運動にとりくむというのである。そのために必要な産業・企業支援策などを政策・制度要求の中軸に据え、労使一体で政党・省庁との政策協議を強化しようというのだ。

これは、岸田政権が「新しい資本主義の実現」と称して、グローバル競争における日本企業の立ち遅れを挽回するために強行する産業政策と一体の「構造的賃上げと三位一体の労働市場改革」――この「三位」とは「リ・スキリング」、「職務給の導入」、「労働移動の円滑化」――と称する労働政策に対応してもいる。政府・資本家どもは、「ジョブ型人事・処遇制度」導入の際に労働者を職務によって選別し、「高度専門職人材」は相対的に高い賃金で処遇する他方で、一般的労働者には低賃金を強制する。と同時に、両者にたいして、つねに自己のリ・スキリングに励み、企業や社会全体の「生産性向上」に貢献することを強制しようとしているのである。電機労働貴族は、電機資本家とともに労使一体となって岸田政権のこの政策に全面協力することを謳いあげたのである。

(4)「産別統一闘争」の最後的崩壊

電機大手十二社の中闘組合が三月十五日の回答をもって「産別統一闘争」を終息させた直後の四月二十七日、富士通資本家は「ジョブ型人材マネジメントに基づく報酬制度の見直し」と称して「平均で一〇%、最大で二九%の月額賃金引き上げ」を大々的に発表・実施した。電機産別統一闘争の妥結とはまったく別に、「グローバルでの企業競争力の向上」を叫び「マーケット競争力のある報酬のあり方、水準の見直し」をうちだした。富士通資本家は、「ジョブ型マネジメント」にもとづいてＡＩやデータサイエンスなどの「高度専門職系人材」を軸にして賃金水準を一気に引き上げたのである。これにたいして、労組執行部は「組合員のやる気・やりがい、挑戦心の発揮につながる」と評価して受け入れた。

富士通社長・時田隆仁は昨二〇二二年十二月暮れのマスコミ取材において、春闘について「人材にも市場価格がある」「産別組織での議論は尊重するが、当社なりの考え方を変えるつもりはない」とウソぶいた。時田は、「ＩＣＴ（情報通信技術）業界でＤＸに従事する人の価値を下げることはできない」と主張する一方で、「物価上昇を受け賃金の実質減を補てんすることが好ましいのか！」と傲然と言い放った。春闘に際して、国際競争に生き残りをかけ、資本が必要とする「人材」には高額賃金を用意するが、一般労働者には実質賃金の切り下げもあるとあけすけに宣言したのである。

電機連合指導部が富士通労使のこの「見直し」を容認したのは、電機連合の「二つの領域」における春闘交渉という方式にもとづく。これは、大手六労使からなる「産別労使交渉」では産別としての賃金体系維持や「開発・設計職基幹労働者」の「賃金改善」、一時金のミニマム基準、最賃などにかぎって課題とし、これとは別に、賃金、退職金、福利厚生については個別企業の業績や人事・賃金制度の実態にふまえてそれぞれの「企業労使交渉」で「主体的に」決めるとする。電機連合指導部は「産別統一闘争」を僭称するが、具体的な要求項目やその水準は「各企業労使交渉」にまかせるという方法なのである。

電機連合は、二〇一四年からこの〝春闘交渉方式〟にもとづいて「産別統一闘争」を展開してきた。とりわけ二〇二〇年からは「人への投資の柔軟性」を掲げ、各企業労使交渉で、資本家が人事・労務政策にもとづきさまざまに提示する回答を「妥結における柔軟性」の名において受け入れてきた。それは、たとえば自己啓発や教育訓練費にだけ使える「福利厚生ポイント」を賃上げ分に換算することや各企業が人材獲得のために独自に「大卒初任給」を引き上げること、「ジョブ型賃金制度」への転換にもとづき「在宅勤務手当」や「住宅手当」などの「属人的項目」を廃止することなどである。そしてついに今春闘の富士通労使交渉では、富士通資本家が「産別統一闘争」の賃上げ妥結とはまったく別に「ジョブ型マネジメント」にもとづく「賃上げ」を提案し、労組はこれを大歓迎して受け入れ、電機連合本部も黙認したのである。

本大会で全富士通労連代議員・松尾剛志は、「業種、業態、コンペティター（競業他社）が異なるなかで、二〇一四年闘争からの賃金水準改善の継続性を大切にしながら議論を」と強調した。これにたいして電機連合副委員長・近藤英弘（パナソニック労連出身）は、「変化に柔軟な対応が重要、有機的に連携しつつ取り組みを進める」と応じた。松尾は、今回の富士通独自の賃上げを二〇一四年からの交渉方式にのっとったものであると正当化しつつ、電機連合として「統一闘争」のあり方についてさらに検討すべきだと主張したのであり、電機連合執行部はこれを「変化への対応」として評価し積極的に容認したのである。

また、「ジョブ型制度」について、三菱電機労連代議員・浅田和宏が「人事制度は各労使で決めるべきだ」と本部議案を補強する発言をした。「ジョブ型制度」導入で先行している日立グループ連合代議員・半沢美幸は、「統一闘争にたいして会社から多くの課題意識を向けられているなかで、進むべき方向性を見いだすことが重要」と声を張りあげた。半沢は、「ジョブ型制度」運用にともなう問題が山積していることを言わざるをえなかったものの、「産別統一闘争」の進め方について電機連合内で議論をリードする意志を表明したのだ。これらについて近藤は「個人の働きがい、やりがいを高める視点で労使が意識を合わせて進めることが重要」と応えた。電機連合指導部は、各労組が「ジョブ型制度」導入をおしすすめることを尻押しし、これにもとづく賃上げは各労使の問題であることを確認するために、このようなヤジキタの議論を展開したのである。

本大会で電機連合指導部は公然と、賃金、労働協約の重要な課題は各労使の交渉に委ねると宣言した。電機連合本部は、賃金制度や賃上げは各労使で勝手にやれと指導したのである。そうであるがゆえに、春闘交渉は個別資本家の意のままにされたのである。まさにこのようなものとして電機二三春闘は、国際競争のなかで生き残りを策す電機資本家どものために労働貴族どもが変質させてきた「産別統一闘争」の到達点であると同時に、その最後的崩壊を意味するのである。

われわれは怒りに燃えて、産別のもとに諸労働組合が結集する形で労働者が団結して賃金闘争をたたかうことをみずから解体する電機労働貴族を弾劾しのりこえ、資本と労働貴族によって分断を強いられ孤立する組合員の怒りを再結集する闘いを組織化してゆかなければならない。

Ⅱ 「新たな運動・活動スタイル」と称する「救国」産報運動への突進

電機連合指導部は今大会で、「中期運動方針」において掲げた「一人ひとりが輝く持続可能な社会」を実現するために、「電機連合の組織力が必要不可欠だ」と声を張りあげた。

彼らは「中期運動方針」を決定した二〇二一年の時点で、「二〇三〇年には組合員数が四万人減少し、会費収入も三・九億円減少する」と見込んでいた。その打開のために大手企業の事業再編・組織再編に対応して新労組の結成や出向組合員の組織化に力を入れてきた。にもかかわらず、「見込み」を上回る組合員の減少に、彼ら労働貴族じしんが危機感を増大させているのだ。今大会では、「労働組合の価値を広げ」て「組合員数の拡大」にとりくむと称して、「組織力強化」のために「組合役員のレベルアップ教育」が必須だと強調した。彼らは、ＪＣメタル（金属労協）や「連合」において発言力を強化するために、また産別出身議員をつくり政府・省庁への要請を強化して政策・制度要求を実現するために、未組織労働者を組合に組織して〝組織拡大＝組織力強化〟をはかろうとしているのである。

組合員数激減の現実的基礎は以下のことにある。日立、三菱電機、パナソニックなどの電機独占資本家どもは、製造拠点を国内や中国から北米や欧州に移動させるとともに、新規事業もこの地域を中心に展開している。電機諸資本は、国際競争力を高めるために従来事業の製品製造を中国などでおこなうことによってコストダウンを実現する取り組みが――中国国内の賃金上昇のゆえに――行きづまったうえに、米中対立の激化を受けて、製造拠点の欧米への移動という動きを加速しているのである。富士通やＮＥＣの資本家は、政府によるＤＸ推進の実行部隊として、国内のＩＴ化が急進展しているのにのっかって国内のＩＴ事業を拡大しつつ、ＡＩやクラウドなどの新技術に対応するために欧米の先端技術を有する企業との連携をすすめているのだ。

電機資本家どものこのような事業再編にともない多くの電機労働者が転籍や退職＝転職を強いられている。資本家どもは、「ジョブ型人事制度」のもとで労働者が「ポスティング制度」でみずからの異動先を見つけられなければ「自主退職」に追いこんでいるのだ。労働貴族どもが、資本家の合理化施策にともなう首切り攻撃にたいして、「キャリア形成支援」などと空叫びして労働組合運動の課題としてとりくまないがゆえに、労働者に日常的に首切り攻撃が振り下ろされているのだ。これは、彼らが「中期運動方針」の「雇用流動化に対応する取り組み」の方針――「雇用維持」の名のもとに労働者に技術・技能・知識の学び直し・高度化を求めるそれ――にもとづいて闘いを歪曲しているからなのである。われわれは、このような電機労働貴族を弾劾して、電機資本家の事業再編や企業の売却攻撃反対、首切り攻撃反対の闘いを組織してゆかなければならない。

それればかりではない。労働貴族どもは、今大会において「環境の急激な変化は新たな労働運動への転換のチャンス」と叫び、「春闘の取り組みの検証、運営の見直し」とともにすべての運動上の課題について「旧態依然とした運動・活動スタイルからの脱却と風土変革が必要」だと意志一致した。(「春闘の見直し」については第I章で明らかにしたとおりである。)

三菱電機労連代議員・浅田は、「政治にかんして」と称して「国家安全保障強化、エネルギーの安定的確保、産業競争力強化」は「日本の将来にかかわる重要課題」であり、「働く者の安心安全の確保なしには国も企業も持続的な成長がない」、これらの政策・制度要求実現のために「電機連合のリーダーシップを」と声を大にした。電機労働貴族が国の安全保障政策・エネルギー政策・競争力強化策にかんして、これほどストレートに公言したことはかつてない。電機労働貴族どもは、電機独占資本家どもが政府の防衛予算大増額による防衛特需や「脱炭素」の名による原発再稼働の推進を千載一遇のチャンスとしてとらえ、これらの事業に突進することを支えるために、それらに関連する政策・制度要求実現に労使一体で力を入れてとりくむと宣言したのである。

また彼らは、〝反戦・平和の取り組み〟について、従来の広島、長崎、根室などの「平和行動に参加する」という方針を、昨年の大会から「平和の尊さや大切さを発信する」と言い換えてきた。労働貴族どもは、「平和の尊さを発信する」と称して、岸田政権がロシアのウクライナ侵略に乗じて大軍拡や改憲をおしすすめるなかで、組合員に〝現在の平和を維持する〟ために日本の防衛力強化が必要だといいなして、大軍拡や改憲の必要性を訴えていくことをもくろんでいるのである。

委員長・神保は、本大会で「国民民主党の勢力拡大に総力をあげてとりくむ」と号令を発した。神保は、組合員に国民民主党への支持を促し、労使一体となって政府による軍拡、改憲、原発推進などの政策実現を支える運動に動員しようとしているのである。

今や国民民主党の玉木雄一郎は、「政策実現のため与野党を超えて連携する」と公言し、自公連立政権入りも画策している。国民民主党は「自分の国は自分で守るという立場に立ち自立的な安全保障体制の構築」のために「自衛のための打撃力の保持」（先制攻撃能力のこと！）や「防衛費増額」を主張する。

先のような電機連合の方針は、「連合」指導部が六月二十六日に防衛省への「要請行動」で、「安保三文書が十分に検討された内容であることは理解する」と褒めあげ「国民向けに丁寧な説明を」と嘆願したことと連携する運動方針なのである。

労働貴族はこれら政策・制度要求実現の取り組みの重点について、「参議院の議席を失い政策実現力・運動の推進力に大きな影響を受けた」として、「これまで以上に政策・制度実現力の強化を図り、政治の日常化の促進を通じた社会全体を動かす運動に積極的・主体的にとりくむ」ことを決定した。彼らは電機独占資本家とともに、電機産業の利害を反映する産業政策や労働政策の実現をはかるために、政府・自民党とも協力することを「新しい労働運動」などと言いなしているのである。

〔九月十四日、首相・岸田文雄は改造内閣の首相補佐官（賃金・雇用担当）に、今電機連合大会で政治アドバイザーを退任したばかりの前参院議員（元国民民主党副代表）でパナソニック労組出身の矢田稚子（わかこ）を任命した。参院選において二回連続で組織内候補が落選するという窮地に追いつめられていた電機労働貴族が、みずからの政策・制度要求を実現するために、国民民主党を連立政権内に抱きこむことをもくろむ政府・自民党の誘いに飛びついたのだ。〕

今大会を跳躍台として電機連合指導部は、政府・独占資本家とともに、産業政策や労働政策のみならず、軍拡、改憲、原発推進などの国策推進を下支えする労働運動へ大きく舵を切ろうとしているのである。本大会で電機連合指導部は「新たな運動・活動スタイル」と称して「連合」労働運動を「救国」産業報国運動としてすすめる先導役というべき役割を果たす「新しい労働運動」への「転換・進化」をはかることを宣言したのである。

われわれは、このような電機労働運動をのりこえ賃金闘争を戦闘的にたたかうとともに、大軍拡、改憲、原発推進反対の闘いを創造しよう。

註　「中期運動方針」

二〇二一年定期大会で決定した二〇二一〜三〇年の運動方針。「美しい地球・幸せな暮らし」を基本理念とし「一人ひとりが輝く持続可能な社会をめざして〜新潮流と多様性を成長の糧に〜」をサブタイトルとして、次の課題にとりくむとする。

①ウィズ・アフターコロナ社会をふまえた労働運動・活動のあり方。②産業の構造変化にともなう産別のあり方。③連合、金属労協、電機連合の機能と役割分担。④多様な雇用形態の組合メンバーシップのあり方。⑤財政のあり方。⑥組合役員任期における年齢要件のあり方。⑦エイジフリー社会を念頭においた環境整備。⑧求められる人材像の変化、多様な雇用形態、雇用流動化、次世代処遇への対応。⑨男女共同参画。⑩政治活動のあり方。⑪組織強化と組織力の向上。⑫継続した組織拡大の取り組み。⑬共済制度の充実。⑭ＳＤＧｓをふまえた産別運動・労働運動のあり方。

自治労の戦闘的強化をかちとろう

第97回定期大会――組織率低下の反省を棚上げする本部

新屋　緑

自治労は二〇二三年八月二十八日から三日間、北海道函館市において定期大会を開催し、二〇二四・二五年度運動方針を決定した。一九年の福岡大会以来、四年ぶりの対面の大会となった。来賓は「連合」からは事務局長・清水秀行。立憲民主党の代表・泉健太はビデオメッセージ（「警備の都合」により欠席）、いつもは出席する国民民主党や社民党の姿はなかった。

組合組織の現状への「危機感」

大会冒頭、委員長・川本淳（今大会をもって退任）が挨拶に立った。岸田政権が第九条改憲を目論む危機的な政治状況と、自然災害が頻発するなどの「公共サービス労働者を取り巻く環境」が厳しさを増すなかで、自治労は「全体としての運動を強化していく」とうちだした。「すべての活動の根幹となるのは、組織の強さ」であり、組合員の減少や単組の活動の「停滞」などを克服する組織強化は「喫緊の課題」。二年後の参議院選挙で組織内候補を「圧倒的な得票数」で当選させ「自治労の存在感」を示していく、今大会はそのスタートだ、と気勢をあげた。

自治労本部は運動方針において、組合員数と新規採用職員の組織率がともに減少傾向を続け、「このまま減少が続けば、単組活動はもとより、県本部活動の維持や単組支援がより困難に」なり、「政治にたいする影響力・発信力・交渉力等の低下」にもつながると危機感もあらわに、「日常の組合活動の強化」とともに新規採用者、未加入者、再任用・再雇用者、会計年度任用職員の組織化にとりくむことを号令している。

「取り組みの重点課題」も次のように変えた。二一年の前基本年大会で重点課題のトップに掲げた〝「公共サービスにもっと投資を！」キャンペーンの通年的展開〟なるものを、何のコメントもなく引き下ろした。自治労本部は、これまでは、新型コロナ感染の蔓延のもとで、保健所や病院などの人員不足に注目が集まったことを〝チャンス〟とばかりに「公共サービスにもっと投資を！」を掲げ、〝公共サービスの充実〟や〝担い手の処遇改善〟などをアピールする〝世論づくり〟にとりくんできた。だがこの二年間の取り組みで人員増などの成果をまったくあげられなかった。それどころか、政府・自治体当局は公立病院の縮小再編をさらに進め、欠員不補充・長時間労働を常態化させてきた。これにたいして、自治労本部は反省を何ひとつ明らかにすることなく、方針上から消しさったのだ。

代わりに第一の重点課題として「誰もが安心して働き続けられる職場をつくる日常的な組合活動の強化」と、これをつうじた「職場の仲間の結集」をうちだした。「公共サービスの充実」については「人員体制の整備が不可欠」と明記し、「世論の理解と共感」を得るために「活動を展開する」にとどめた。「自治労方針と組合員の政治意識の乖離」を克服するためと称して、新たに「平和で安心して生活できる社会」を求める取り組みにたいする「組合員の意識を醸成する活動の強化」を重点課題に入れた。

こうした諸課題の実現を担う単組を支える組織体制については、従来は県本部の役割としていたが、今回は本部が県本部と一体となって単組の活動を支えると、うちだした。

反戦・平和、原発反対の発言が激減

このような自治労本部の方針提起をうけて、約四十人の発言者のほぼすべてが組織強化と「参院選必勝」にふれた。その他方で、反基地・改憲阻止や原発反対に関連した発言は、前の基本年大会の約半数に激減した。各地方における在日米軍ならびに自衛隊の軍事基地強化や軍事演習に反対する自治労の取り組みが弱体化しているのだ。自治労本部は「コロナ禍」を理由に、基地の強化や改憲に反対する諸集会などへの動員や学習・講演会の開催などを三年間もストップしてきた。その結果なのだ。自治労本部自身が「自治労方針と組合員の政治意識の乖離」を招いたのだ。

だが数少ないとはいえ、基地強化反対や原発反対などを訴える代議員の発言は厳しい現実を打開しようという気迫に満ちている。「岸田政権の軍拡の流れは止まらず、九州の各県は自衛隊の要塞基地と化している。福島原発の汚染水が、漁業者や住民の反対を無視して海に流された。こうした現状にたいする自治労独自の発信が少ないのではないか。本部は取り組みをいっそう強化してほしい」。沖縄の辺野古新基地建設反対や佐賀のオスプレイ配備反対運動の厳しい現実と、不屈にたたかう意思が表明された。

組織強化に苦慮する各県本部

新規採用職員の加入オルグの厳しい現実や、脱退者が増えている理由などについて、全国の代議員が次々と発言した。

東京からは「大幅な組織人員の減少に歯止めがかかって」いない、と発言。その理由として「労働組合の存在意義や必要性が薄れ」ている「社会情勢」や、「人員不足による過重な業務」を挙げた。都本部としては「単組の実情にあわせた支援が不足」していたと、かたちばかりの反省の姿勢をみせた。東京と同様に他県本部からも「労働組合の存在意義が薄れている」ことが組合員の加入オルグを困難にしている、との発言が続いた。発言者はそれを「社会情勢」だと片付けている。しかし自治体労働者が組合の存在意義を感じられないのは、みずからが担っている自治労の運動に問題があるということではないか。さきのような役員の発言にたいし、「組合員の減少がなぜ止まらないか、徹底的な論議が必要。組合員が離れたことを組合員のせいにしていないか。組合員が困ったときに頼ってもらえる労働組合か、考える必要がある」と反論の声があがった。

「単組から相談をうけて組織拡大にとりくんだが、通常以上に現場と日常的な会話をかわし信頼を得る必要があった。県本部の専従者や書記体制を含めた執行体制の強化が必要だ」。これらの発言が突きだしているように、自治労本部の「日常的な組合活動の強化」という組織強化方針は、組合役員としての構え方・やり方を指摘するにとどまり、運動の見直しや本部からの支援の具体的内容がいっさい提起されていない。これでは〝新採オルグが困難なのは「社会情勢」だ〟と展望喪失に陥っている役員を奮いたたせることはできない。

本部は「日常的な組合活動」の内容を、〝職場の声を要求にし、交渉で職場課題を解決して組合員の結集をはかる〟という。つまり役員が対当局交渉で成果をあげて組合の必要性を組合員に示すということだ。成果をあげるために、単組の「交渉力の強化」を本部・県本部が一体となって支援するという。この「交渉力の強化」とは、交渉を有利に進めるために、たとえば自治体の財政分析を緻密におこなう、あるいは近隣自治体との諸手当ておよび人員配置などの格差を問題にするという、実に技術的な「強化」でしかない。今日の自治体職場の切実な問題、人員不足や長時間労働、低賃金やパワハラなどどれひとつとっても、技術的な交渉力の強化によって解決できるものはない。この本部の組織強化方針は現場から浮き上がった観念的で無力なものでしかないのだ。何よりも、要求をかちとるための取り組みに組合員を組織化すること、これをつうじて組合員の団結を強化するということがまったく欠落しているのだ。

賃金闘争強化の要請が本部に集中

自治労本部は人事院勧告について「一定の成果」と評価するが、これにたいして「人事院勧告の〇・九六％の給与引き上げでは物価高騰のなかで組合員の生活を守ることはできない」という発言が相次いだ。

自治労本部は「賃金闘争の再構築」と称して、「地方公務員の賃金は最終的には……労使の交渉を基本に決定される」のだから、「人勧制度に頼らない」「運用による到達闘争」を進めよ、単組はそのために交渉力を強化せよとおしだしている。

しかし代議員の発言は「単組の交渉力強化」ではなく本部にたいする取り組み強化の要請に集中した。「賃金闘争の再構築と言っても中身がない」「本部は私たちと一緒に汗をかく気があるのか」。

中高年層の賃金が抑制されてきたなかで、「中高年層が怒って、脱退が増えている」「今年かちとった全世代の賃上げを来年以降も進めてほしい」「地域手当の未支給地をなくしてほしい、近接地域間に格差がつくられ、未支給地では人員確保が困難になっている」「来年度の人事院による給与制度の見直しについて、早急に情報を集めてほしい」「今年の人勧期の取り組みで組合員数以上の署名が集まった。四年ぶりの中央行動で初めてデモに参加した役員が感激していた。こういう取り組みを続けてほしい」。

自治労本部は「人勧制度に頼らない」単組の取り組み強化をおしだすが、運用でかちとれる賃金改善など微々たるものだ。政府・自治体当局は、人勧制度を使って賃金抑制の攻撃を貫徹している。これに正面から対決し、自治労として取り組みをいかに強化するのか、これこそが問われているのだ。こうした取り組みのただなかで、またこれをつうじてこそ労働組合組織は強化されるのではないか。

戦闘的・革命的労働者は、みずからの責任と反省を棚に上げて単組活動の強化をおしつける自治労本部を弾劾し、自治労の戦闘的強化めざして奮闘しよう！

自治労連第四十五回定期大会

「住民サービス」への献身を労働者に強制する日共系本部

山 秦 遥

二〇二三年八月二十七日から二十九日にかけて山口県宇部市において、自治労連第四十五回定期大会が新型コロナ感染症拡大以降じつに四年ぶりの全代議員参加で開催された。

今大会において自治労連本部は「働きがいと魅力ある職場へ、住民とともに公共を取りもどそう」をメインスローガンとして掲げた。彼らは、本大会を、「住民のために良い仕事がしたい！」「公共を取りもどす！」という代議員の発言の大合唱の場として実現しようとしたのだ。

今、自治体労働者はますます過酷な労働に追いこまれており、公務員への応募は減少し、早期退職者が相次いでいる。こうした状況のもとで自治労連も、組合脱退が相次ぎ、新規加入者の獲得困難、後継役員の育成困難という組織存亡の危機に立たされているのだ。

自治労連本部は「働きがいと魅力ある職場をつくること」をその打開策としてうちだした。そのことが「公共を取りもどす」ことにつながり、「戦争国家」化と「対峙」する「憲法が生きる社会をつくること」「政治を根本から変える運動」につながるのだ、と意味付与している。彼ら日共系指導部はそれらを、選挙での日本共産党への集票に結びつけたいと願望しているのだ。

東アジアにおいても戦争的危機が一気に高まり、岸田政権による大軍拡、憲法第九条改悪の攻撃が切迫している今、この自治労連本部の犯罪的指導を弾劾し、自治体労働運動の戦闘的強化をめざしてたたかおう。

「戦争国家」化と改憲に反対する大衆的闘いの放棄

自治労連本部は運動方針案で、第一の重点課題に「戦争国家、改憲阻止、憲法実行の政治に転換しよう」と掲げている。しかし、大会冒頭のあいさつで中央執行委員長・桜井真吾が強調したのは、「魅力ある職場づくりと住民の手に公共を取りもどす運動に全力をあげよう」というもので、「戦争国家、改憲阻止」についてはー言も無かった。

代議員の発言のなかでも、改憲に触れたのは「本部が中心になって改憲反対の声を広げてほしい」と発言した長野の代議員のみだった。その他、日本の「戦争国家」化についての発言としては、「南西諸島のミサイル配備」(沖縄)や、「横浜ノースドックへのミサイル配備」(神奈川)などに反対することを、地域における「共同」の課題としてとりくんでいるという報告があった。ごくわずかの代議員が「戦争国家化反対」や「基地強化反対」「改憲阻止」に関連する発言をしたにとどまったのだ(六十八名の発言者中五名)。

自治労連本部は、「改憲反対」を正面から掲げないばかりか、方針案に一応はもりこんでいる「憲法を学ぼう」という一言をさえ大会の場において自治労連組合員にたいして呼びかけることをしなかったのだ。岸田政権が、九条改憲と「緊急事態条項」創設につきすすんでいる今このときに、「九条改憲反対」を真正面にすえたとりくみを強化しなくてどうするのか!

また、岸田政権が自治体労働者に甚大な負担を押しつけて強引におしすすめているマイナンバーカードの取得義務化については、本部からも代議員からも発言が無かった。マイナンバーカード取得義務化をテコとした「社会のデジタル化」こそは国民総監視＝総管理体制をつくりだす「戦争国家」化の土台づくりではないか。それは岸田政権がすすめる大軍拡・改憲と表裏一体の攻撃であり、そのことをこそ暴露し、反撃の闘いをつくりだすべきではないのか。

ところで特筆すべきは、広島の代議員たちが、〝ウクライナ・カラー〟にひまわりを描いた〝NO WAR〟Tシャツをお揃いで着て参加したことだ。揃いのTシャツ姿は、〝ウクライナ人民への共感〟を会場にアピールしていた。ところが彼ら広島の代議員は、発言のなかではウクライナに一言も触れなかった。自治労連本部が、広島代議員らの〝ウクライナ・カラー〟のTシャツ姿を苦々しく思い、発言を抑えこんだにちがいない。許しがたいことに、本部ダラ幹は方針案で、ロシアのウクライナ侵略の原因はNATOがつくったの、戦争を長引かせているのは欧米の武器支援だ、などと述べている。プーチンのロシアによるウクライナ侵略への怒りのひとかけらもないばかりか、この蛮行を実質上擁護してさえいるのだ！

「働きがいと魅力ある職場」づくりの大合唱

ところで驚くべきことに、超低率の人事院勧告直後に開催された大会であるにもかかわらず、賃金問題については冒頭の委員長挨拶では一言も触れられなかったのだ。代議員発言でも賃金問題はごくわずかで、これが労働組合の大会か?! と疑うような現実だった。

大会を埋めつくしたのはメインスローガンの「働きがいと魅力ある職場へ」「公共を取りもどす」にそった発言である。

「市民の幸せと自分の幸せを重ね合わせる、そんな職場にしたいが、職場の実態は過酷。まずは自分の仕事を語り合うこと。自治研活動が大切。いい仕事をするために組合の力をつけよう！　先ほどのビデオに学んでほしい」と〝総括的発言〟のひとつとして愛知の代議員が発言した。

　そのビデオは、昼休みに流された五分程度のもので、若手職員四名がまず、自分の仕事を紹介。次に〝どんなときにうれしかったか〟と問われて、「住民から感謝されたとき」「住民の役に立てたと感じたとき」等々と話す。そして最後に、唐突に「これは憲法を実践するもの」とテロップが流れて終わった。若者が住民から感謝されたときに即自的に感じる喜びを、憲法の条文に結びつけ、外から意味付与しているだけではないか！

　次のような発言もあった。「若手の離職が増えた。働きがいをもつために自治研活動で地域の問題を発見する手法を学ぶ必要がある。若者は放っておくと腐ってしまう。組合は冷蔵庫だ。早く働きかけを」（埼玉）。あまりに青年労働者をバカにした発言ではないか！

　自治労連本部は、次世代の活動家を育成するために地方ブロックごとに若手組合員を組織して、「青年未来づくりプロジェクト」なるものをつくりだしている。そこでは彼らが信奉する「民主的自治体労働者論」を学ばせて、憲法を守り、住民のために働くことでこそ働きがいもてるのだ、と若者たちに刷りこもうとしているのだ。こうした自治労連本部の方針と〝指導〟は、自治体当局から日々強制される過酷な労働で疲弊しきっている自治体労働者にたいして、事実上は当局に呼応して労働組合からも住民のために身を粉にして働け、と迫ることであり、まったく許しがたいではないか。

　ある福祉職場の代議員は「住民のために最善を尽くしていきたい気持ちは変わらないが、気力や体力には限界がある」（高知）と正直な心情を吐露した。この発言を自治労連ダラ幹どもはどう思うのか！

〔ある自治労連傘下の職場で、組合員が日共系組合役員から「（あなたたちは、）自分たちの労働条件を守るために住民サービスを犠牲にしている！」と説教された。この労組役員の対応に怒った組合員はわが仲間に「わたしたちを守ってくれない組合はおかしいのではないか？」と訴えてきた。わが仲間はその組合員に、「働くものを守る組合に一緒につくりかえよう」と働きかけている。〕

会計年度任用職員らにも「住民サービス向上」へのまい進を強制

自治体版の非正規雇用労働者である会計年度任用職員の処遇改善・雇用継続を求める取り組みの報告が、多くの代議員から出された。その多くは、「誇りと怒りの3T（つながる・つづける・立ちあがる）アクション」などという自治労連本部の指示に沿ったものであった。

自治労連は、中高年職員の組合脱退が続出し新規採用職員の組合加入がすすまないという現状につきあたり、組合員数は年々減少の一途をたどっている。組合費納入組合員数は八万人を割りこんでいるのだ。組織拡大の方策の一つとして、本部は会計年度任用職員や、自治体直営以外の「公務公共(註)」関係職場で働く労働者の組織化を「すべての組織での最重要課題」として位置づけた。

現在、正規職員の非常勤への置き換えがあらゆる自治体ですすめられ、四割を超える職員が会計年度任用職員となっている。彼ら会計年度任用職員は、低賃金であるうえに、年度ごとの雇用でいつ雇い止めされるかもしれない不安定な立場に置かれている。しかも業務内容は、正規雇用労働者とほとんど変わらない。

また、多くの自治体職場が地方独立行政法人になったり指定管理職場にされるなどアウトソーシングされることによって、従来は公務員だった労働者が民間労働者に置き換えられている。こうした状況のもとで自治労連本部は、新型コロナ感染症拡大のもとで〝「公務公共の果たす役割の大切さ」が多くの住民、国民に認識された〟ととらえ、彼ら「公務公共」職場で働く民間労働者をも「公共を取りもどす」運動の担い手として組織することを位置づけたのだ。

これらの、アウトソーシングされた「公務公共関連職場」の労働実態は劣悪であり、その労働者を組織化し彼らの労働条件改善にとりくむことは重要である。しかし、自治労連本部は「誇りと怒りの3Tアクション」と銘打って、彼らにたいしても「公務

・公共サービスの担い手」としての〝誇り〟をもたせ、「住民サービスの向上」にまい進するように駆りたてようとしているのだ。

註　彼らの言う「公務公共」とは――都道府県・市区町村・保健・医療・社会福祉・介護・保育・消防・上下水道・ごみ収集など。そこで提供されるサービスと施設を含めていわれている。

「労働条件改善」を放棄した「より良い保育サービス提供」への駆り立て

自治労連本部は、コロナ感染拡大のもとで、保育士不足が社会問題化したことをチャンスととらえ、保育士の増員を求める取り組みに力を入れてきた。

このような本部のもとで愛知の「子どもたちにもう一人保育士を！」の運動にとりくんできた保育職場の代議員たちは、「保護者・地域住民の共感を呼び、マスコミにも取り上げられ、七十年ぶりに保育士の配置基準を変えさせる動きにつながった」と発言した。保育職場は極めて配置基準が低いままに据えおかれ、とりわけコロナパンデミックのもとで増員もなく過酷な労働を強いられた保育士は疲弊し、多くの保育士が退職に追いこまれた。にもかかわらず、この保育職場の代議員は職場の過酷さを訴えることなく、もっぱら「もう一人保育士がいれば、もっと良い保育ができる」と語ったのだ。

日共系の自治労連幹部たちは、住民に支持されるためには良い保育のための人員要求でなければならないと、保育士たちを教育しているにちがいないのだ。これでは職場の保育士は、より良い保育サービス提供のために、さらに骨身を削って働かざるをえない。保育士としての専門職意識は高まっても労働者としての自覚は決してつくられない。

保育士の配置基準は国のそれも地方自治体のそれも極めて低い。たとえ基準どおりの人数がいたとしても、まったく不十分なのだ。そうであるがゆえに保育職場の労働者は、「事故を起こしてはならない」という不断の緊張状態のなかで、過酷な長時間労働を強いられている。自治体当局はこの慢性的な欠員状態を放置しているのだ。

にもかかわらず自治労連本部は、この自治体当局にたいして欠員補充・大幅増員を要求し職場闘争を組織することを完全に放棄している。もっぱら配置基準の見直しを、地域住民と共同で地方議会に要請することに注力しているのだ。彼らは、組合運動を地域住民を主体とした活動に歪め、票田開拓に結びつけようというのだ。

自治体労働運動の戦闘的再生を！

今、岸田政権は台湾や朝鮮半島の「有事」をにらみ、日本を、アメリカとともに戦争ができる軍事強国へと飛躍させようとしている。そのためにこそ第九条改憲と「緊急事態条項」創設を核心とする憲法大改悪に突進しているのだ。

自治労連本部は「今自治体労働者は岸田政権が突きすすむ『戦争国家』への道に加担させられるか否かの『岐路』に立っている」と運動方針で述べている。それは彼らの現実への一応の危機感のあらわれといえなくもない。しかし、大会では「戦争国家」化についての発言はほとんどなく、もっぱら「職場の思い」にこたえると称して、「住民のために良い仕事がしたい」という「働きがいと魅力ある職場」づくりに励むことが前面におしだされたのだ。

こうした自治労連本部の対応では、組合員のうちに現情勢への危機感をつくることができないばかりか、過酷な労働に悲鳴をあげる彼ら組合員を仕事に駆りたてることで組合の団結の基盤をみずから掘り崩し、組合組織のさらなる弱体化をもたらすものでしかない。

自治体労働者は大軍拡反対・改憲阻止をたたかおう！　戦争ができる国づくりのための国内支配体制の強化に反対しよう！　秋季賃金確定闘争を戦闘的にたたかおう！　わが革命的・戦闘的労働者は、自治労連本部の腐敗を弾劾し、自治体労働運動の戦闘的再生のために奮闘しよう！

〝印刷産業防衛のための労働運動〟をのりこえたたかおう

――全印総連二三年度運動方針の批判――

京極すすむ

「価格転嫁」「中小企業支援」を呼号した日共系本部――第七十三回定期大会

二〇二三年七月一日に「全労連」加盟の全印総連は、第七十三回定期大会をオンラインとリアル併用の八十名で開催した。

今大会において全印総連の日共系指導部は、社会・経済のデジタル化にともなう産業・企業の再編のもとで「縮小する印刷産業」「消滅する組合」の現状を「反転」するために、昨年に比してもさらに声を荒げて「印刷出版産業を守れ」「価格転嫁できない中小企業を守れ」とわめきたてた。「〔産業の〕転換期の運動を追求」すると称して、「産業や企業の持続的発展」を前面におしたて、「社会保障制度の充実」とともに「全国一律最賃一五〇〇円以上」「中小企業支援」など対政府の制度政策要求を組合の運動方針の重点項目としておしだした。まさに対政府要求を前面に出したこの運動方針は、労働組合運動の弱体化をもたらす方針以外の何ものでもない。

急激な物価高騰に直面して、全印総連の大半を占める中小零細印刷企業で働く大多数の労働者が低賃金を強いられ生活苦のどん底に叩きこまれている。この状況のなかで、われわれ革命的・戦闘的労働者は本部の裏切りを許さず、大幅一律賃上げ獲得をめざして、職場や組合から二三春闘を高揚させるために奮闘した。さらに「コロナ不況」やデジタル技術を活用した印刷産業の構造改革のもとで吹き荒れるリストラ・首切り攻撃を粉砕する闘いをもつくりだしてきた。このことを基礎にしてわれわれは、今大会を戦闘的につくりかえるために奮闘したのだ。

全印総連委員長・柳沢孝史は開会挨拶で以下のように述べた。「デジタル社会が浸透し、紙への情報掲載がマイナーになってくる。需要が縮小し、設備過剰による単価競争が続いている」。だが、「印刷産業にひしめきあう中小零細企業には、賃上げや価格転嫁を迫る労働組合は少ない」。だからこそ、全印総連本部がとりくんだ円卓会議「6・6共存共栄の地域経済を考える院内集会」のような、価格転嫁の促進、取引慣行の改善を求める、中小企業庁や公正取引委員会、国会議員を巻きこんだ労使協同の運動こそが重要だ、と力説した。

つづけて書記長・田村光龍は、二三春闘は「賃上げは高水準となりつつも、物価高騰を補うまで達成しなかった」。「交渉力をもっと高めて」「上向きになった回答をさらに引き上げる」、そのために「適正な価格転嫁の促進」と「中小企業支援」「全国一律最賃一五〇〇円以上」などを求める、と今二三年度の方針を提起した。

討論では、発言者はほぼ日共系幹部の直接的指導下にある地連や単組の代表であり、多くは本部の方針を補強する発言に終始した。そのなかで、東京地連の代議員から「本部の組織体質の改善を求める」という発言が、またユニオン京都の傍聴者から「総括は主観や希望論ではなく、事実をふまえて客観的に冷静におこなう必要がある」という発言がなされた。このように、本部にたいする批判が相次ぐこと自体が異例であり、全印総連本部にとっては予想外であったに違いない。

　だが田村は、「十七人の発言で方針が補強された」と、これらの批判を無視して居直った。そのうえで、「本部体質の改善」を求める東京地連代表の発言にたいして、「大会ではなじまない発言」とかわしたのである。〔ちなみに、七月二十五日発行の機関紙『印刷出版労働者』大会特集号では、「本部の役員は現場にも来ず、地道な活動を放棄している」という東京地連発言で本部に都合の悪い部分は削除した。さらに、本部方針の採択で反対票が投じられたことは意図的に外したのである。〕

　今大会にむけてわれわれ革命的・戦闘的労働者たちは、反戦・平和のとりくみや賃上げ闘争を粘り強くたたかっている組合員たちに〝全印総連本部の闘争歪曲を許さず共にたたかおう！〟と呼びかけ、討論をつくりだしてきた。このわれわれの闘いに共感した良心的な組合員や一部の日共系組合員から本部方針にたいする疑問や批判的発言がなされたのだ。

　このようなわが闘いをさらに前進させるために、以下、「二三年度運動方針（案）」を批判する。

賃金・労働条件改善闘争を対政府要請にねじまげ

凸版印刷や大日本印刷など大手の資本家どもは、紙媒体の印刷市場が縮小するなかで、「新しい価値の創出」を求めてエレクトロニクス関連などの分野を拡大して事業構造の再構築をはかってきた。その他面で既存の分野を中心に人員削減や賃金支払い形態の改悪などをおしすすめている。

　これとは対照的に大多数の中小印刷企業は、大手印刷資本から印刷単価の引き下げ、短納期、高精度の品質を強要され、倒産・廃業の危機に瀕している。これら中小企業の経営者は、この危機をサービス残業、シフトカットや多能工化の強制、解雇や賃金引き下げなど、いっさいを労働者に犠牲転嫁して、のりきろうとしているのだ。

これらの印刷諸資本によって多くの労働者の生首が切って落とされ、労働諸条件の改悪や賃下げ、出向・配転などの攻撃が日常不断に労働者にかけられている。だがしかしこうした資本家どもによる悪らつな攻撃に反撃する闘いをつくりだすことすらしようとしないのが全印総連日共系指導部どもなのだ。

今年度方針書には「価格転嫁」と「中小企業支援」の文言が乱舞している。「大企業と中小企業との賃金格差は……国の大企業優遇策と中小企業支援の弱さ」にある、「職場と雇用守」り「安心して働き続けるためには、職場の闘いを中小企業支援の政策を求める運動に結びつける」等々。

彼らは、「価格転嫁」と「中小企業支援」の課題を組みこんだ「新『産業政策提言』中間報告」を今大会で提起した。彼らは賃上げ、首切り・労働強化に反対する闘いを「価格転嫁」と「中小企業支援」要請運動に解消しようとしているのだ。

今二三春闘において全印総連傘下の各単組は、資本家どもによる賃下げ、事業再編にともなう転籍・出向、労働強化などの攻撃に対応できなかった。「中小企業支援は私たちの要求になった」とぬけぬけと語り、岸田政権や印刷資本家にたいして闘いをつくるのではなく、彼らにさまざまな〝お願い〟をすることで労働者の賃金や労働条件が改善される、と労働者に幻想を煽ってきたのが彼らなのだ。そのことこそが反労働者的で犯罪なのである。この全印総連本部ダラ幹どもを怒りをこめて弾劾せよ！

わが革命的・戦闘的労働者は、すべての闘いを政府や自治体への要請運動に歪曲する日共系指導部をのりこえ、一律大幅賃上げをめざして賃金闘争を、リストラ・首切り攻撃をはね返す闘いを、職場生産点から創造しなければならない。

「社会的賃金闘争」の名による賃金闘争の放棄

方針（案）のなかで全印総連日共系指導部は、二三春闘の妥結内容について、傘下労組の全業種の賃上げ金額平均が昨年の四七三三円から六〇〇三円

（プラス一二七〇円）にアップした（いずれも定昇相当分込み）ことをもって「賃上げは高水準になった」という。しかし出版や専門誌を除く多くの一般印刷企業の単組執行部は、「企業業績の悪化」を理由に、物価高騰に程遠い〇円から四〇〇〇円などという超低額の回答を受け入れ幕引きしたのである。また、業種間格差や地方間格差および企業間格差がさらに広がったのである。

二三春闘のとりくみにおいて、春闘アンケートで数多の組合員が「ここ数年間、実質賃金も実質可処分所得も下がりっぱなしだ。生活に不安を感じる」、「今春闘で最低でも五万円必要だ」と訴えた。にもかかわらず全印総連指導部は、昨年まで掲げていた「大幅賃上げ」の文言を春闘方針から削除した。さらに彼らは、「国民的課題の要求でのスト権は、中小企業自体に運動を広げる観点から経営に理解を求め、指名ストなどで対応する」という中小企業経営者の「理解を深める」ための〝アピール・ストライキ〟なる闘争形態を提起しただけで、これすらまともに指導しなかった。

「改憲阻止」を掲げ国会前に決起した印刷労働者（11月３日）

総連指導部は、口先では「生計費原則を掲げ、大幅賃上げ」や「物価高騰に負けない賃上げ」と言っているが、「連合」労働貴族と同様に〝企業の業績向上なしには賃上げはできない〟と観念しているのだ。要するに、経営困難にぶつかっている中小企業では賃上げ原資がないから自力では賃上げは無理であり、「労働者への適正な賃金と事業を継続させるための適正な利益を確保」できるための〝環境づくり〟にとりくめ、と号令をかけたのだ。まさにそれゆえに、彼ら日共系指導部は「社会的賃金闘争」という名をもって、中小企業支援策や法定最低賃金の引き上げを求める対政府・対自治体当局の闘いに賃金闘争を解消したのだ。だからこそ彼らは、会社経営者が経営悪化をのりきるための「対策」と称して熾烈に振り下ろしている賃下げや労働諸条件引き下げにたいしても、「倒産よりはまし」と観念し、唯々諾々と受け入れてしまうのだ。

こうした「社会的賃金闘争」なるものに賃金闘争を解消している日共系指導部は、春闘いこうの二三年度の賃金闘争についても「企業内最低時給一五〇〇円を引き続き要求するとともに、社会的な世論で最低賃金の全国一律制の確立」を要求するという方針を前面におしだしている。そして、これらを署名によって政府に要請することや、地方自治体に公契約条例制定を請願するなどの、「最低賃金全国一律一五〇〇円」要求運動に賃金闘争を解消しているのだ。

彼らは、「内部留保金を賃上げに回し、物価高と消費不況から脱出」するなどという方針をことさら強調し、「賃上げと最賃の引き上げ」によって「個人消費の活性化と内需を拡大しなければ、日本経済の回復はないし、印刷出版産業の発展はない」とほざいている。こうした観点から「印刷産業の発展」、ひいては「日本経済の再生」のために賃上げを、と政府や資本家にお願いしようとしているのだ。まさに現存ブルジョア政府にたいして〝民主的代案〟の採用を迫るという「資本主義の枠内での民主的改良」を自己目的化する日共中央の基本路線に盲従しているからなのである。日共系指導部の「社会的賃金闘争」の名による賃金闘争の放棄を許すな！

労働者的団結の創造を放擲した「組織拡大」方針

いまや、全印総連の組合員数は二〇年の全国印刷関連ユニオン結成時の九十名を加えた三三五〇人から二三年四月末には三一八五人に減少し、全国組織として維持できないほどの現状に達している。しかし、全印総連指導部はその原因を分析し総括することができない。「組織拡大・強化」方針では、「組織減が続き、全印総連は持続可能性に懸念が広がる水準に縮小してしまった。反転させる努力は続けられてきたが、思うような成果に結びついていない」と泣き言をたれる。そして「改めて未組織労働者への宣伝を拡大する」だの、「体制を立て直すところから活性化する。具体的には各地連で組織拡大の会議体を再開」し「情勢認識を一致させ、行動を組み立てる」だの、と提起している。だが、このような方針ならざる方針では決して組合組織の拡大・強化などなしえないのだ。

資本家・経営者どもによる解雇・雇い止めなどの諸攻撃にたいして、全印総連指導部は職場における闘いを一切つくりだそうとはしていない。本部は言う。「単独の労使関係の中で解決は難しく」「安心して働き続けるためには、職場の闘いを中小企業支援の政策を求める運動に結びつける必要性が高まっている」と。要するに、職場での個別資本にたいする闘いを、対政府の制度政策要求運動にスリカエているのが本部ダラ幹なのだ。

首切り、労働強化、長時間労働の強制などの諸攻撃をはね返すために、これの分析や闘いの指針をめぐって組合員との論議をつくりだし、資本家・経営者どもとの団交などをくりひろげる。こうした下からの闘いのつみ重ねをぬきにして、労働組合の強化・拡大をなしとげることは決してできないのだ。

わが革命的・戦闘的労働者は、日共系指導部のもとで〝産別闘争を強化し、ストライキで共にたたかおう！〟と呼びかけ、これにこたえたある単組・分会の仲間たちが勤務時間にくいこむほどねばり強く団体交渉を続け、賃上げ額を積みあげた。こうした職場での闘いにゆさぶられ、「地道な行動を軽視せず、積みあげていくことが重要」と、大会の場で本部を批判する代議員がうみだされたのだ。

しかも、全印総連日共系指導部の提起する〝アピール・スト〟では、職場の組合員の多くを組織化することもできないし、この闘いをつうじて組合の団結を強化することもできないのだ。

「そもそも彼らの『ストを構えて交渉力を高める』などという主張自体が、反階級的なのである。ストライキは、経営者（や政府）との交渉を有利に進めるためのたんなる圧力手段におとしめられてはならない。ストライキという闘争形態は、向自的労働者の即自的団結形態である労働組合が、みずからの要求を実現するために、資本の生産を一時的にストップさせるかたちで資本家にたいして損害を強制し、その譲歩を迫るための闘争手段であると同時に、それをつうじて労働組合に結集した労働者たちの階級的団結をさらに向自的なものに高めていくための手段でもあるのだ。」（本誌第三二五号清春論文）

まさに、賃上げを要求する実力闘争をつうじて、「階級的団結を向自的なものに高める」ことが必要なのである。このようなことが全印総連日共系指導部には位置づかないのである。

総連指導部の「組織拡大」方針は、彼らの願望を並べただけのものでしかなく、そこには未組織労働者の組合への組織化と組合の戦闘的強化を〈いかに〉実現するかの解明はまったくないのだ。

わが革命的・戦闘的労働者たちは、このような全印総連日共系指導部の「組織拡大」方針の誤りを突きだし、総連傘下の企業内労組および合同労組の戦闘的強化のために奮闘しなければならない。

ウクライナ反戦、軍拡・改憲阻止闘争の完全放棄

全印総連日共系指導部は、昨年は一応「ロシアによるウクライナ侵攻に抗議の声をあげましょう」と呼びかけていた。しかし、二三年度運動方針では、「ロシアによるウクライナ侵略」にはいっさい触れず、プーチン・ロシアによる悪逆きわまりないウクライナ軍事侵略を完全に容認しているのである。このことが第一。

彼らは、ウクライナ人民がミサイルやドローン攻撃によって虐殺されていることへの痛みも悲しみもなく〝現代のヒトラー〟プーチンにたいする憎しみもない。それればかりではない。「ブチャの虐殺報道はフェイクだ」などとわめきちらす安斎育郎をはじめとしたプーチン擁護者を党内に抱え、対応不能に陥っている日共・志位指導部に追随し、ウクライナ反戦闘争から逃亡しているのだ。じっさい、今年二

月以降、総がかり行動などへの動員をいっさい放棄しているのだ。

そして第二に、彼らが、今日のプーチン・ロシアのウクライナ侵略や、米・日・韓―中・露・北朝鮮の政治的・軍事的角逐により東アジアにおける戦争的危機が深まっていることについて、これっぽっちの危機感ももってはいないことだ。彼らは、「もし台湾で戦争が起こったとしても、日本や日本の基地が戦争に参加しなければ、攻撃が及ぶものではない」と脳天気にほざく。こうした言辞は犯罪以外のなにものでもない。

いま、台湾・南シナ海を焦点としてアメリカと中国との一触即発の危機が高まっているなかで、岸田自民党政権は日米軍事同盟を対中国の攻守同盟として飛躍的に強化し、アメリカとともに対中戦争を遂行しうる体制の構築に突進している。自民党政権による憲法改悪の策動こそは、この日米共同の戦争遂行体制づくりと一体の国家総動員体制構築を狙った攻撃にほかならない。にもかかわらず全印総連の日共系指導部はこの危機的現実から完全に浮きあがっているのだ。

　彼らは、「野党共闘」を自己目的化する日本共産党中央の指導のもとで、「九条改憲反対」や「日米安保反対」を完全に封印したのである。さらに彼らは、「野党の共闘は紆余曲折あるが、四月の選挙〔五つの衆・参補選と統一地方選〕結果は、市民と野党が本気で共闘し、政治を変える希望を有権者に届けることができれば、勝利できることを示すものとなった。引き続き、市民と野党の共闘で、政治を変えるために行動しよう」と言う。日共が統一地方選挙に大敗し「保守層との共同」路線の破綻があらわになっているにもかかわらず、次の総選挙にむけて票田獲得のための「野党共闘」を追求する選挙運動へ組合員をひきまわそうとしているのだ。

　全印総連の内部でたたかうわが仲間たちは、日共系指導部がいまや、反戦反安保・反改憲闘争からもウクライナ反戦闘争からも脱走していることを、暴露し弾劾したたかってきた。日共系などの組合活動家たちと、「NATOもロシアもどっちもどっち、はおかしい」とか「〝国連憲章守れ〟でウクライナ戦争を止めることはできるのか」とか、「日本共産党が選挙で勝つためには、自衛隊も容認するのか」とかと疑問を呈しつつ論議してきた。またわが仲間たちは、全印総連指導部が「全労連」中央の号令に従って「選挙アピール」の発信のみに終始していることを批判しつつ、その運動や方針の議会主義的誤りを突きだしながら、組合運動を戦闘的につくりかえるために奮闘してきた。この闘いによって、多くの日共系組合員から「選挙のみで組合は強くなるのだろうか？」という疑問や不満の声があがっている。

　全国の印刷出版戦線で働く労働者諸君！　わが革命的・戦闘的労働者と共に日本共産党系組合指導部の闘争歪曲を弾劾しのりこえ、賃金闘争や大衆収奪強化に反対する政治経済闘争を、反戦・反改憲・反ファシズムの闘いを爆発させよう！　今こそ〈大幅一律賃上げ〉を！　岸田日本型ネオ・ファシズム政権の打倒をめざしてたたかおう！　労働者階級の未来のために共にたたかおう！

第61回国際反戦集会への
海外からのメッセージ（2）

〔上〕ディナ・クーデタ政権打倒に起ったペルー人民（23年7月19日、リマ市）
〔下〕「ディエゴガルシアからアメリカは出て行け」ＬＡＬＩＴの集会（22年4月15日）

ウクライナ征服・隷属を企むプーチンの侵略戦争を許すな

FLTI－第四インターナショナル再創造集団

二〇二三年七月二十八日
第六十一回国際反戦集会へ
革共同革マル派の同志諸君、全学連の同志諸君、反戦青年委員会の同志諸君
第四インターナショナル再創造集団－FLTIは、諸君に国際主義者としての革命的挨拶を送る。

同志諸君
プーチンの「大ロシア」がウクライナを征服し隷属させんとして反革命的侵略戦争を開始して一年半という今、諸君の集会が開かれている。このロシアの攻撃によって何万もの人々が殺され、何百万もの人が難民となり、国は分断され占領された。
ここで現出したのが、プーチンの近衛兵・ワグネル部隊の首領プリゴジンの反乱だった。最高司令官プーチンのもとでこの戦争に加わっているのが、このプリゴジンのファシスト傭兵部隊だ。この事態は、軍とモスクワを危機に陥れた。プリゴジンの部隊は、国軍のほとんどすべてとその将校たちが「中立」を守るなかで、易々と首都モスクワに二〇〇キロメートルのところにまで到達したのだった。この奇襲はボス交渉で収拾された。仲間うちではそれ以外に収拾のしようがなかったのだ。

プリゴジンはベラルーシに逃れ、商売を続けている。すなわち、ロシアの軍諸機関にかわって武器を売り、また半植民地的な国々に進出している帝国主義の多国籍企業の警護隊として自己を売りこんでいる。ワグネルがやっていることといえば、リビアではハフタル（ＣＩＡの代理人）とともに帝国主義諸国の企業の世話をしている。マリやニジェール、ブルキナファソなどではその部隊を傭兵として売りこみ、原子力発電用ウラニウムを略奪する帝国主義企業――とくにフランス――のビジネスを手伝っている。しかも彼らは、ロシアの武器販売の代理人であり、アンゴラやアルジェリア、エジプト、スーダンにも売りこんでいる……。

ところがスターリン主義者とその手先どもは、あろうことか、このプーチンとその傭兵どもが「反帝国主義者」であるかのようにおしだそうとしているのだ。

同志諸君

ウクライナで、ロシア軍は泥沼に引きこまれている。占領しウクライナを分断した境界線地帯は血みどろの塹壕戦になっている。ロシア兵の死者はすでに二〇万人になる。ロシア軍の新兵補充センターが連日のように放火されているのも、そのゆえだ。前線部隊でも後方部隊でも、兵士たちはすでに不満を爆発させている。労働者たちは、プーチンやその配下のオリガルヒ・ギャングどものために死のう、などと思わない。軍の将校たちは今にも分裂しそうだ。政治危機が醸成されつつある。

こうした事態の他方で、ゼレンスキーは、つい先日のＮＡＴＯやＧ７の首脳会議に招かれ背中をたたいて励まされはしたが、結局は手ぶらでウクライナに戻らざるをえなかった。ロシアがこの戦争のなかで最大の危機にあるときに、しかしアメリカ帝国主義者どもは、軍用機も長距離ミサイルもなしに、ウクライナを「反転攻勢」に向かわせたのだ。第二次大戦時あるいは一九七〇年代の戦車や大砲で戦え、などというのは、あまりにふざけた話ではないか。

アメリカは、みずからの政治的目標を戦略的に達成するための軍事的バランスを探っている。すなわち、彼らが狙っているのは、プーチンによって分割された後のウクライナを植民地として自国に従属させることであり、同時にロシアを弱体化させること、ただし、ロシアの政権が民衆の手によって倒され崩壊したりしないようにしながら、というものである。もしもロシアの政権が崩壊したりすれば、そこは、大ロシアおよび旧ソ連諸国における帝国主義の反革命的策動に抵抗する〝ベトナム〟になりかねないことを、警戒しているのである。

この塹壕戦をもってアメリカが期待しているのは、エリツィン主義者の高級官吏層やオリガルヒの登場、すなわち、一九九〇年代に旧ソ連での資本主義復活の頭目であったエリツィンのような、ウォール街の直接的代弁人やパートナーが登場してくることだ。このロシアの前大統領は、レーガンやサッチャー、シティ・バンクと直接につながっており、この男がレーガンらと一緒になって、ソ連崩壊後の基本的なビジネスをつくりだしたのだった。

また、ウクライナでの戦争をもってアメリカが狙っているのは、第二次世界大戦の勝利はアメリカのおかげであることを確認させることである。ＥＵはＮＡＴＯにいやいやながら屈服した。アメリカはガス・パイプライン「ノルドストリーム２」を破壊し、独仏枢軸がこの数十年間で構築してきたポルトガルからロシアまでの欧州生存圏をすべて破壊した。アメリカ帝国主義者どもは、今や、鉱物・天然ガス・石油等々といった「大ロシア」が生む利益をわがものとして確保する先頭に立っている。また彼らは、大儲けできるだろうウクライナ再建ビジネスを請け負う七二〇の企業をすでに準備しているのだ。

最前線で戦っているのはウクライナの労働者階級だ

同志諸君

われわれは、そんな結末を許さない。最前線で戦い、そして斃れているのは、ウクライナの労働者階級だ。民族解放の戦いの行く手は、彼らこそが握っている。モスクワの反革命的オリガルヒどもの身代わりに、殺され塹壕を血で染めているのは、ロシアの若き労働者たちなのだ。ゼレンスキーやキエフの帝国主義の手先どもの指揮下では、侵略者を打ち破ることができないのは明らかだ。

　ウクライナでの戦争におけるプロレタリアの指導権をうちたてる以外に途はない。この国を略奪するＩＭＦを拒絶し、多国籍企業と大土地所有とウクライナ・ブルジョアジーの企業を接収し、プーチンの暴虐を打ち破って戦争に勝利するために全経済を投入する途だ。これこそが、キエフからドンバスまで全ウクライナ労働者階級をただちに団結させるだろう。これこそが、敗走するプーチンの部隊を最後的に打ち砕くものになるにちがいない。

　この戦争でのウクライナの勝利は、ロシア民衆の決起にもかかっている。ロシア・ファシストの戦争機構を内側から麻痺させ打ち破る可能性は、彼らロシア民衆が握っている。それは、ロシア内部から革命的蜂起への途を開くものになるだろう。

　プーチンによって侵略され隷属させられたウクライナ民族と連帯する欧州労働者階級の決起が、決定的に重要である。旧世界の労働者たちの任務は、帝国主義的ＥＵおよびＮＡＴＯを打ち破ることだ。ＥＵとＮＡＴＯは、そしてその各国政府は、おのれの危機をすべて労働者階級に転嫁し、労働者たちの獲得物すべてに襲いかかっているのだ。

　同志諸君

　世界資本主義－帝国主義の体制は死の苦悶にあえいでいる。二〇〇八年の危機勃発以降、この体制は、世界労働者階級にたいする攻撃と戦争以外には危機からの出口をみいだすことができないのだ。連続する危機のなかで、世界的分業体制も崩壊しさった。

　帝国主義諸国は世界支配をめぐって争いはじめている。ドイツは今のところ、英米枢軸に服従している。他方で「アメリカの手駒にはなりたくない」と叫んだフランスは孤立させられて大きな痛手をこうむり、アフリカ・サブサハラのフランス植民地（マリ、チャド、ニジェール、セネガルなど）は危機的状況にある。フランスは、これらの植民地のおかげで、電力システム全体および自国の核保有を保障するウランを、ほんのわずかなカネで入手してきたのである。自国労働者階級の不屈の闘争と植民地諸国の危機のゆえに、フランスは、帝国主義的支配のもっとも弱い環のひとつになっている。

アフリカ・サブサハラ諸国には、あらゆる帝国主義国の軍事基地がひしめいている。フランスはニジェールに、多数の軍事基地と一五〇〇人の部隊をおく。アメリカは、一〇〇〇人以上の米兵と武器・弾薬を備えた軍事基地をもつ。これら諸国でアメリカ帝国主義者は公然たる紛争をかかえている。現在直下のクーデタをもって、それぞれの国の民族ブルジョアジーは民衆の革命的決起——ケニヤのような——に先手をうち、そうすることによって、多国籍企業の目下のパートナーとしてのおのれの分け前にあずかることを狙っているのである。

帝国主義大国が多すぎるのだ。天然資源や新しいハイ・テク産業に不可欠な鉱物の産地をめぐる闘争は、新たな戦争と大虐殺を引き起こしかねない。リチウム、コルタン、コバルト、ウラニウム、天然ガス、等々。これらに群がって争いせめぎあうイギリス・カナダ連合、アメリカ、日本、ドイツ、フランスの企業……。

こうした鉱物を、中国は採掘困難なアフリカの別の地域で探し、港を造り・道を開き、自国通貨での決済に同意させている。中国ブルジョアジーは、大々的な国際貿易業ブルジョアジー（十九世紀イギリスの貿易商のような）になっている。彼らは、輸出（むしろ、これは少ない）だけでなく、天然資源を強大な自国市場でさばくために買いつける。だが強大な帝国主義諸国とは異なって、自国の貿易を護るための軍事基地は建設できていない。

これら天然資源産地をめぐる争いが、世界経済を大きく揺さぶりはじめている。加えて、食料品価格高騰だ。新たな政治危機、クーデタが、また大々的な階級的戦いが、これら鉱物資源の大産地であり埋蔵地であるアフリカやラテンアメリカでまさしく進行中だ。コルタンのゆえに、帝国主義はコンゴを分割し同胞殺し戦争を引き起こし、コンゴ人民を四〇〇万人も死に追いやったことを忘れてはならない。

ここ数十年にわたって中東全域では、血みどろの「石油戦争」が吹き荒れてきた。しかし同時に、パレスチナだけではなく、この全域で、世界を揺さぶる巨大な労働者・農民革命をも、二〇一一年以来、われわれは眼前にしてきた。

　こうした事態が、半植民地世界で進行している。帝国主義の野獣をその内側から止めることは、帝国主義主要諸国の労働者階級にとって死活的問題である。帝国主義の野獣どもは、彼らの政府や支配体制の破産に直面して、労働者たちの獲得物すべてに襲いかかっているのだから。

労働者階級の真の危機は国際主義的指導部の欠如にある

同志諸君

　世界市場は活気を失い縮こまっている。国連の調査でも、世界で七億以上の人々が飢餓状態にある。アメリカとの国境地帯や地中海は、生きるチャンスを求めた移民労働者たちの墓場と化している。

　米・英帝国主義は、日本と同盟し、今はドイツもひき連れて、豊富な原材料を求めて中国に出てゆくだけでなく、その巨大国内市場を必要としている。すでにそこには米・英帝国主義の企業や銀行が進出しているのである。

　アメリカ帝国主義者どもは、彼らの覇権を維持するために何でもやってのける。ウクライナでの戦争のただなかで、彼らは世界の武器市場の七五％を占めた。武器の販売先の多数をロシアから奪ったのだ。

　米・英帝国主義は日本と同盟して、まさしく太平洋地域における「ＮＡＴＯ」を構築してきた。彼らは、この地域全域に――チリに、また主にはペルーに――軍事基地を配置してきた。

　資本家どもは、人間労働が生産していない利益を使い、それに寄生してきた。世界の金融オリガルヒどもは、自分たちの破産や赤字を国庫をカラにして補塡し隠蔽し、そして、その危機のツケは世界労働者階級に押しつけようとしている。国家・銀行・企業の負債は合わせれば一八八兆ドルという驚くべき数字になり、これは世界のＧＤＰの二三〇％になる。

同志諸君

　国際労働者階級はたたかっている。権力の本丸を制圧したイラクやスリランカを見よ。黒人運動を先頭にしたこのかんのアメリカ労働者階級の大闘争もそうだ。

ＩＭＦに締めあげられたラテンアメリカは、労働者・農民の決起の場だ。アフリカでも労働者階級は激しくたたかっている。ゼネストでズマ政権を打ち倒した南アフリカ共和国を、増税に反対して決起したケニアを見よ。

欧州では、ＥＵの労働者階級が危機のツケを払うのを拒否している。その先頭を行くのがフランスだ。

カザフスタンやベラルーシ、ジョージアでわれわれが眼前にしたような旧ソ連邦諸国の労働者階級の闘い、そしてまた、ウクライナでの軍事的敗北と開始された若者の決起に直面しているロシアを脅かしている危機。これらが兆候として示しているのは、明らかに、一九八九年いらい、旧ソ連のプロレタリアートが、資本主義を復活させた憎き支配体制と政府の打倒を希求しつづけている、ということだ。そして彼らもまた、中国ではレジスタンスの厳しい闘いのなかでずっと追求されてきているのと同じように、世界階級闘争の奔流との結びつきを熱望しつづけている、ということである。

ラテンアメリカでは、今日、ペルーが闘いの最先頭だ。ペルー人民は、昨日のチリやコロンビア、エクアドルと同様に革命的闘争に決起し、何千回もくりかえされたスターリン主義者や改良主義者による裏切りに抗してたたかっている。

同志諸君

労働者階級の真の危機は、革命をめざす全世界各地の闘いを連携させ一つに集結させる国際主義的指導部が欠如していることにある。帝国主義とブルジョアジーが、その国家と軍隊と多国籍企業を使い、また人民大衆の闘いを裏切らせるために指導部を買収し、すでに世界的にうごめいている、というのに。

スターリン主義は、一九八九年に旧労働者国家を明け渡した。だがその後、今世紀には再び反革命的役割をはたすためにブルジョアジーによって救いだされた。

わが第四インターナショナルを裏切り破壊した者どものような、社会主義者とか革命的とかと自称する諸党は、今やスターリン主義の付属物となり、わが世界党を完全に解体してしまった。これらの者たちは、スターリン主義の後塵を拝して、階級協調の戦線を擁護する政策をとっている。こうした者どもは、彼らが「進歩派」と呼ぶブルジョア政治家どもへの、だが実際には人民の処刑人でしかない政治家どもへの投票を呼びかけている。彼らは、「反資本主義」を自称してはいる。だが実際には、フランスで見られるように、彼らはスターリン主義者と一緒になって、民衆がマクロン政権と第五共和制を打倒したりしないように防壁を築いているのだ。

改良主義者どもは、社会主義をめざす闘いと革命は現下の任務ではないなどと言い、破産し末期的危機にあるこの体制の枠内でも労働者階級と被搾取民衆は生活水準を改善することができる、などと言いなして、労働者階級の意識と闘いに害毒をながしている。これこそは、世界資本主義体制が危機と破綻のただなかにある二十一世紀における改良主義者の大裏切りだ。なんという大嘘をぬかすのか！　恥を知れ！

彼らは皆、社会主義を冒瀆し、社会主義の名において最悪の犯罪をやってのけたのだ。

　だが彼らがなんと言おうと、〝社会主義か野蛮か〟という選択は、以前にもましてその意義が鮮明になっている。

　それぞれの闘いのなかで、何万もの前衛的労働者が急進化し、裏切り的指導部から決別しはじめている。彼らは、みずからの指導部をのりこえてゆく。彼らこそが、力強い国際主義的革命運動を構築する勢力だ。

　しかし、誰が味方であり誰が敵であるか、自分たちの闘いはどこへ向かうべきか――これらを彼らが識別するのを助ける革命的指導部を見いだすことができなければ、この急進化は、裏切り的指導部の策謀によって霧散させられてしまう。われわれは、それを許してはならない。

　われわれは共同の闘いを深化させなければならない！　階級闘争は、それを絶対に必要としているのだ。

　周知のように、ＦＬＴＩは、マルクス主義の裏切り者もスターリン主義の追随者もいない第四インターナショナルの再創造のためにたたかっている。これは、二十一世紀の新たなキンタール・ツィンメルヴァルト会議の開催に寄与するものだ。かつて第一次世界大戦開戦時の一九一四年に第二インターナショナルの革命的左翼部分がなしたように、革命的マルクス主義の隊列を国際的に再結集させねばならない。一刻の猶予もない。

同志たちよ

　最後に、諸君に緊急の呼びかけを発したい。最近、日本帝国主義軍隊の一〇〇〇人の海軍兵と部隊がペルーに上陸した。ディナ独裁政権とフジモリ派が強引に設置した太平洋基地が、ここにある。このペルーで今、激烈な大闘争がはじまっている。民衆は負けるわけにはいかない。暗黒の闇が、ふたたび血にまみれた全ラテンアメリカを覆うことになりかねないのだ。この闘いに、諸君も共に関与してほしい。

　ペルーの、そして全世界の政治犯の解放を求める闘いを強化するために、力をあわせてほしい。ペルーでは今、帝国主義にたいする労働者階級の決戦がたたかわれている。この太平洋国家は、この地域全域にたいする帝国主義的支配の環である。しかしまた、この国はラテンアメリカの、そして全太平洋地域労働者の革命の最先端にある。

ペルーから米・日帝国主義の基地と軍隊を一掃する闘いは、日本から米軍基地を一掃し日米の軍国主義体制を打ち破る闘いと一体だ。

同志たちよ

民衆は、かつてない苦難のゆえに、闘いに突入している。まともな仕事を要求し、生活費の高騰に反対し、国家の残虐な弾圧にたちむかい、みずからの獲得物をまもり、土地のためにたたかい、帝国主義的強奪に反対してたたかっている。

歴史の全経験が示すように、いま決定的なのは次のことだ。労働者階級の闘いは、権力を奪取しなければゆきづまる。革命をめざす闘いを、世界労働者階級の課題の、その第一項目に掲げることこそが、革命家の任務である。これを民衆の課題から除外してしまったのが、改良主義者どもであり裏切り者どもなのだ。

もしも革命家のこの任務が達成されないならば、敗北と戦争への道がひらかれてしまうだろう。労働者階級は、その名に値する指導部をまだ有していない。

社会主義革命が生き生きとした社会的力としてよみがえり、この暗黒の二十一世紀世界を突破する光を投じてゆくために、革命的社会主義者の隊列を今こそ総結集しよう。民衆は、それを求めている。

ともにたたかおう。

ジェームス・サカラ　労働者国際同盟（ＷＩＬ）―ジンバブエ

ジョバンニ・アルベロッタンザ　プロレタリア先遣隊―イタリア

ミレンカ・ロペス、アブ・ムアド、クラウディア・P、アレハンドロ・フロレス、カルロス・ムンセール

第四インターナショナル再創造集団―ＦＬＴＩを代表して

戦争反対・米軍基地撤去――諸君と連帯し闘う！

LALIT（モーリシャス）

反戦運動の同志諸君、平和のために活動する友人たち。

第六十一回国際反戦集会にあたって、わがLALITは、日本各地でおこなわれる反戦集会に参加する労働者・学生に革命的挨拶を、喜びをもって送ります（LALITはモーリシャス語で「闘争」という意味）。

ロシア―ウクライナ戦争が五〇〇日以上も続き、何万人もの死者と、何万人もの負傷者と、数百万人の避難者と、ウクライナの甚大な破壊をひきおこしている・そのまっただなかで、この国際反戦集会は、おこなわれる。

アフリカの指導者たちは、自分たちの名をあげるためとはいえ、この戦争がもたらした物価高騰と食糧難によってアフリカ大陸の貧しい人々が苦しめられることがないように、停戦のための平和的解決案を模索している。ところが、アメリカ帝国主義者は、戦争のエスカレートのために、つまりまったく正反対の方向に動いている。アメリカとイギリスは、昨年三月にウクライナがうけいれた停戦合意をさえ妨害したのだった。ロシアは西側がのぞむほどには弱体化していない、と称して。あの停戦が和平交渉につながっていたら、ウクライナは、どんなに今と違っていただろう。いまや、バイデン大統領はウクライナに「クラスター爆弾」を供与することを一方的に決め、甚大な「人道的被害と民間人の犠牲」（クラスター爆弾についての二〇〇八年の国際協定）をもたらそうとしている。これにたいして、プーチンは、報復のために同種の爆弾を使うと脅している。この違法な武器の使用には、一〇〇以上の国が、多くのNATO加盟国さえもが、反対しているのである。

LALITは、戦争の停止を要求する。即時に停戦し、交渉を開始する必要がある。ロシア軍は、ただちにウクライナから撤退すべきである。NATO諸国は、今やヨーロッパを完全に牛耳るアメリカ帝国主義者に率いられているが、ウクライナへの武器供与をただちに止めるべきである。アメリカがウクライナの人々を武装させておこなっているこの代理戦争の新形態は、さらにエスカレートし、殺戮と破壊をもたらすだけだ。NATOは、ワルシャワ条約機構がそうであったように、解体するべきだ。それは当然のことだ。NATOを東方拡大しないというアメリカの約束は口先だけであり、ロシア包囲は今やほとんど完成している。そして、NATOは今、中国の包囲にのりだし、日本と韓国に事務所を開設しようとしている。諸君も周知のように、アメリカは、東のこの二つの国に猛烈な圧力をかけて、ヨーロッパ諸国と同様に、軍備に大金を使わせようとしている。実際には、アメリカ製武器を購入させようとしているのだ。

モーリシャスにおいて、われわれLALITは、ディエゴガルシア島――わが国の一部であるチャゴス諸島の一つ――にあるイギリス・アメリカ軍事基地の閉鎖をめざす運動をつづけている。諸君も知っての通り、イギリスにチャゴス諸島から全面撤退を求めた国連総会二〇一九年決議いこう、われわれの運動はさらに前進している。かの決議は、国際司法裁判所が、イギリス・アメリカの軍事占領は主権国の違法な占領であるとの判決をくだしたのをうけたものであった。イギリスとアメリカはロシアの不法な占領に反対しウクライナを完全武装させているが、この彼らじしんが、同じようにわが国を違法に占領している。この欺瞞を、イギリス・アメリカは見ようともしない。

わが国の政府は今、恥ずべきことに、イギリス政府と秘密裏に交渉をおこない、妥協をはかろうとしている。国際司法裁判所と国連総会で勝利（英米連合はイスラエルとオーストラリアとハンガリーの三ヵ国以外に支持を得られず孤立した）した後になっても、モーリシャスの首相は、アメリカにたいして、基地を継続運用できるようにディエゴガルシアを貸与するという提案をおこなってきたのだ。われわれは、これに反対している。LALITおよび三大労組連合、労働者・婦人協会、反基地活動家たちは、この交渉と貸与提案に反対して、一致結束してきた。

チャゴスにかんするわれわれの闘いは、続いている。その焦点は、（a）ディエゴガルシア米軍基地の解体と放射能その他の汚染の完全除去、（b）チャゴス島民およびすべてのモーリシャス国民がチャゴス諸島を訪れ居住する権利、つまりわが国のなかを自由に移動できる権利、（c）モーリシャス領の完全な脱植民地化と再統一、だ。これらは国際裁判所と国連総会が求めているものである。軍事占領を終わらせなければならない。

インド洋および世界中の戦争と軍事基地に反対するLALITの闘いは、JRCLがおしすすめている闘いと数年以上にわたってむすびついてきた。諸君は、日本支配階級およびアメリカ帝国主義者による日本の軍事基地の維持に反対し、軍需産業と軍備増強に反対してたたかっている。われわれは、世界に八〇〇以上あるあらゆる軍事基地に反対する。NATOと同様に、軍事基地も解体されなければならない。

戦争と軍国主義に反対するわれわれの闘いは、資本主義体制に反対する闘いと結びついている。資本主義体制のもとでは、民主主義は、不可能とはいわないまでも、困難だ。アメリカがそうであるように、多くの国が「軍産複合体」とか、巨大製薬産業とか、食品・農業ビジネスとか、ビッグ・データとかといった独占企業を経営する数百人の一握りの資本家に牛耳られているのだから。このような独占企業が、全世界の大衆を支配し、搾取し、あらゆる決定を彼らの利益を得るためにくだしている。今や彼らは人類を三重にからみ合った存亡の危機に陥れている。すなわち、核戦争による破壊と環境汚染による破壊、そして文明の崩壊による破壊。この文明の崩壊は、ハイチが先行的にしめしているように、武装した者たちの群れの跋扈となるか、さもなくば国家的抑圧の暗黒郷(ディストピア)だ。もしもわれわれが、人民が支配階級から自立し共に考え行動するさいに発揮する知恵に依拠して、創造的な方法でこの資本主義体制に反対しなければ、まもなくわれわれ自身が、そこにつきおとされてしまうのだ。

われわれの共同の闘いは、各国の闘いを国際的な闘いにむすびつけると同時に、もっと平等な社会、とりわけ階級のない社会をめざす革命的変革のために活動する諸組織のネットワークを築くことをつうじてのみ強化される。永続的な革命的変革は、どんな場合でも、変革をめざす国際的運動の一環でなければならない。

諸君の集会が有意義なものとなり、帝国主義戦争に反対し、戦争をひきおこす軍事基地と軍需産業に反対する日本の労働者・学生の闘いを鼓舞するものとなることを期待しています。

ラダ・キストナサミー

バイデンの〝勝利〟もプーチンの〝勝利〟も望まない

第四インターナショナル書記局

親愛なる同志諸君

第四インターナショナル書記局は、オリガルヒのプーチンがオリガルヒのゼレンスキーにたいして開始したウクライナへの軍事介入は非難してきた。だが、このウクライナでの戦争はアメリカ帝国主義によって利用されていると考えている。危機にたつ資本主義体制を救うために、アメリカの軍事的翼たるNATOを使って、軍需経済を再生させるのに利用されているのだ。第四インターナショナルが留意するのは、アメリカ帝国主義が平和と民主主義のためにたたかうことなどありえないということだ。そもそも、一九四五年に広島と長崎に原爆を落として以降一貫して世界の主要な戦争挑発者であったのが、アメリカ帝国主義なのだ。朝鮮戦争、ベトナム戦争、（NATOの名のもとにおこなわれた）ユーゴスラビア戦争、イラクでの二つの戦争、等々が想起できる。NATOの軍事的指揮権を握っている地上最強の帝国主義たるアメリカ帝国主義は、プーチンによって開始されたウクライナでの戦争を利用してロシアの莫大な天然資源を手に入れ、そのうえで主要な経済的競争相手たる中国との争いに、たとえ諸国人民と階級的労働者にどんなに巨大な破壊をもたらそうとも、なんとしても決着をつけようと意図しているのだ。それゆえ、第四インターナショナル書記局は、バイデン／NATOの〝勝利〟も、プーチンの〝勝利〟も望まない。ウクライナにおける即時停戦をめざすあらゆる提案を支持する。

七月八日

第四インターナショナル書記局
ジャン‐ピエール・フィトシ

われわれが戦争に勝利するのか 戦争がわれわれに勝利するのか

ヴィクトル・フョードロビッチ・イサイチコフ（ロシア）
「マルクス主義政綱」『啓蒙』誌 編集長

反戦集会参加者諸君！

わが地球は分岐点に立っている。平和の闘士であるわれわれすべてを含む世界の七五億人が絶滅するか否かの瀬戸際にある——こんなことは世界史上なかったし、世界的戦争もなしで七十八年がすぎた今日、理解することは非常に困難だ。

資本主義的無秩序によって、世界にはかつてない階級分裂がもたらされた。全世界住民の半分の人々がもつ富すべてを合わせたよりも多くの富を、わずか一％の大金持ちの資本家がわがものにしている。

それだけではなく、人口の無秩序な増加によって人類はエコロジー的自滅の危機にたちいたっている。最も富んだ国の消費水準に、もしも全世界がなるとすると(今は、世界で数百万人だけがまともな物的保障を得ているにすぎない)、資源の大部分が不足するし、有害廃棄物による生態系の危機が状況をさらに悪化させる。すでに今日、大気と海洋の温度のかつてない上昇に、学者のみならず、多くの国が脅威を感じている。

こうしたなかでは、一人っ子家族への世界的な移行(および技術の発展)によってのみ、資本主義的無政府性がもたらすエコロジー的破滅を予防することができるだろう。だが、そのような社会政策は、何世紀にもわたって先進国(日本も含む)の資本家によって搾取されてきた世界の多くの最貧国では、今日、実施できはしない。社会保障制度を創出するには多大な資金を必要とするし、これらの国々では働けなくなった両親の面倒をみるのはその子供たちだけなのである。

このような社会政策はこの半世紀のあいだ世界的には実施されていない(ただ中国だけが人口を自覚的に安定させることに成功した。また、多くの先進国では一人っ子家族への自然発生的な移行が生じている)。ところが同時に、大量破壊兵器(核兵器だけでなく、生物・化学兵器も)の武器庫は増加し拡充されている。このことからして、世界の金融オリガルヒ(特にアメリカの)は過剰人口問題を戦争という暴力的手段によって解決する道をとった、と論理的に結論づけることができる。

しかもアメリカ帝国主義者が第三次世界大戦をもって目論んでいるのは、商品購買者としても労働力の販売者としても不要な世界の貧民だけでなく、主要な競争相手である中国・EU・日本をも一掃することである(GDPが世界の一~二%で、しかも資源部門だけのロシアはアメリカの競争相手ではない)。他国を使って自己の目的を達成するというアメリカ帝国主義の長年の実践からして、アメリカの戦略は、ヨーロッパにおいてはEUをロシアに、アジアでは日本を中国にけしかけて戦わせるものであることは明白だ(〝チェンバレン〟や〝ダラディエ〟と同様に、世界の発展の途を理解しない指導者が、多くの国にまだ存在している）。その戦いの勝者はアメリカによってとどめを刺されるであろう。アメリカの同盟者たちは、希望にひたるべきではない。

こうしたなかで、全面戦争の勃発を阻止できる唯一の方法は、平和のための闘いである。現下の労働運動や共産主義運動にとって重要なのは、自国帝国主義（ワシントンの人形使いが課した役割を理解しないものも含む）にたいする闘いだ。だがこれは非常に困難な闘いである。なぜなら、資本家どもはマスコミなどにかこっている手先を使って大衆の心理を巧妙に操作するすべを知っているからである。他国の侵略者や帝国主義者は糾弾するが「自国」の反動的行為には目を向けない共産主義者は、無意識的（あるいは意識的）に「自国」資本家の擁護者となる。

第一次・第二次世界大戦の経験が示しているように、帝国主義諸国の労働者階級が帝国主義の戦争政策に反対できなかったのは、第一に、植民地や他国を略奪した「自国」資本家に買収されたからであった。周知のことだが、ドイツの労働者階級の生活水準は、占領した諸国からの強奪によって一九四三年まで向上しつづけたし、同様に買収されたイギリスやフランスの労働者とだけではなく、社会主義ロシアのプロレタリアートとも戦ったのは、ドイツ資本家ではなくドイツの労働者たちであった。

しかも、今日、帝国主義者にとって領土獲得問題はすでに過去のものとなっているにもかかわらず、大衆には、領土要求を主張する必要があるという幻想が染みついているのである。イギリスは、地球の反対側の、長年誰も住んでいなかった（今は牧羊者だけはいる）フォークランド（マルビナス）諸島をめぐって戦争し、核兵器を使用するといってアルゼンチンを恫喝した。日本と中国とベトナムは、南シナ海の小諸島をめぐって争っている。日本の労働者は、小クリル諸島のために何十年間も煽動されているが、そこに歴史的に住んでいたのは日本人ではなくアイヌであった。この島をめぐる同様の民族主義的キャンペーンはロシアでもなされている。このちっぽけな土地を併合することによって、日本と日本プロレタリアートのすべての問題が解決されるというのだろうか、また、この領土がなくなればロシアのプロレタリアートの生活が、いっそう悪化するとでもいうのだろうか。

他方、忘れてならないことは、領土と結びついている未解決の民族問題がまだ存在している、ということだ。中国から暴力的にきりはなされ・中国人が住んでいる台湾、これはそのひとつだ。中国はマカオと香港を植民地主義者からとりもどすことができた。台湾の復帰は中国民族の民族的統一にむけた次の不可欠な一歩である。民族問題が比較的うまく解決されていた(スターリン主義者の誤謬がなくはなかったが)ソ連邦の崩壊によって、ソ連邦の廃墟のなかから生まれた民族主義的ブルジョア国家のあいだで領土問題が発生した。アルメニアとアゼルバイジャン、モルドバと沿ドニエストル共和国、グルジアとアブハジア・南オセチアのあいだの武力紛争は、他民族を抑圧しようとする当該地域の民族主義者の跳梁のゆえである。

これらの紛争のなかで特別な位置を占めるのが、ロシアとウクライナの紛争である。現在のウクライナの国境は、基本的には、一九一八年の占領時にドイツ将軍ホフマンによって定められ、ロシア人、ユダヤ人、モルドバ人、ベラルーシ人、ポーランド人などのウクライナ人ではない人々が住みついていた地域もそこに含まれた。ソ連時代に一連の民族=領土問題に決着がつけられ、たとえばゴメリ地域はベラルーシに、チェルニゴフ州の北部はロシアにそれぞれ移管された。だが、他の問題はそのままにされた。なぜなら、ソ連邦においては大国主義的排外主義も地域民族主義も一掃する政策が実施され、ウクライナ社会主義ソビエト共和国においてはすべての民族が自由に活動していたからである(小さな問題がなかったとはいえないが)。

八月反革命はウクライナにおける情勢を一変させ、ウクライナ民族主義が勢力を増した。すべての人がロシア語を知っており、五人に一人はロシア語系住民であったウクライナで、ロシア語が国家公用語の地位を失い、強制的に排除された。こうして、特にドンバスやクリミアでは住民の諸権利が蹂躙された。ウクライナ民族主義者のこの政策はアメリカの特殊機関の直接的指示によるものであり、南部・東部ウクライナやクリミアにおいては住民が無理からぬ抵抗に起ちあがった。ＮＡＴＯの特殊機関によって組織化された政府転覆と露骨な民族主義者による政権獲得は、ドンバスの労働者階級を抵抗と独立闘争に駆りたてた。ドネツクとルガンスクの二つの共和国ができたが、これに反対してキエフ政権は武力闘争を始めた。残念ながら、組織的に弱体なドンバスのプロレタリアートは、世界プロレタリアートの支持を得られず、ロシア政権の傀儡どもによって人民共和国の権力から排除されてしまった。そのかん、キエフ軍部はこの地域を砲撃しつづけ、女性や子供を含む数千人の市民が殺害された。この戦争犯罪はＮＡＴＯの帝国主義者どもによって支持され、世界プロレタリアートは帝国主義者どもに抵抗しなかった。

平和的手段によって解決できたはずのこの紛争は、ＮＡＴＯ諸国、とりわけアメリカに近い同盟者どもによって激化させられた。両者による戦闘行為は理性的根拠を失って拡大し、この一年半におよぶアメリカ帝国主義の利益のための紛争によって、ドンバス両共和国での野蛮な砲撃による死者の何十倍もの人々が殺害されてしまった。

この紛争は世界絶滅戦争に転化する恐れがある。この戦争の張本人はアメリカの金融オリガルヒである。

世界戦争に反対する世界的闘争を展開しよう！

Ｂ・Φ・イサイチコフ
「マルクス主義政綱」『啓蒙』誌　編集長

第四インターナショナル再建組織委員会（ＯＣＲＦＩ）からのメッセージは『解放』第二七九一号に、ロッタ・コムニスタ（イタリア）からのメッセージは『解放』第二七九三～九四号に掲載しています。参照してください。

Messages from Foreign Friends to the 61st International Antiwar Assembly

(Left) Teachers' demonstration, 2023, Argentine
(Right) July 19th, 2023, Peru

(Continued from No.327)

The Collective for the Refoundation of the Fourth International - FLTI

7/28/2023
To the 61st International Antiwar Assembly

Comrades of the JRCL-RMF,
Comrades Zengakuren,
Comrades of the Antiwar Youth Committee,

From the Collective for the Refoundation of the Fourth International - FLTI, we want to send an internationalist revolutionary salute.

Comrades,
Your assembly is taking place when almost a year and a half has passed since the counterrevolutionary invasion of Ukraine by Putin and the "Great Russia" started, aimed to subdue and subjugate it. This Moscow offensive has cost dozens of thousands of deaths, millions of refugees and a divided and occupied nation.

We have witnessed the rebellion of Prigozhin, the head of the Wagner brigade, a Putin's Praetorian Guard, made up of fascist mercenaries, who also wage war in the service of the highest bidder. This opened a crisis on the military front and in Moscow.
Prigozhin reached as far as arriving 200 km from the Russian capital, enjoying the "neutrality" of large sections of the army and its officer caste. His raid ended in a great negotiation, as it could not be otherwise between partners.
Prigozhin took shelter in Belarus and continues to sell his services, which are no other than selling weapons for the Moscow military apparatus and offering himself as a guardian of the imperialist transnationals installed in the semi-colonial world. This is what Wagner does; in Libya they look after the imperialist companies with Heftar (a CIA agent); or in Mali, Niger and Burkina Faso among others, they sell his troops as mercenaries to take care of the business of all the imperialist companies that loot uranium for their nuclear power, particularly France. They are sales representatives for Moscow's arms sales, which also supply Angola, Algeria, Egypt, Sudan...
And Stalinism and his henchmen want to make Putin and his mercenaries pass off as "anti-imperialist".

Comrades,
The Russian offensive is bogged down in the Ukraine. It has turned into trench warfare, where the new borders of the occupied and split Ukraine are being fixed with blood.
200 thousand Russian soldiers have already died. This explains why the recruiting centers of the Russian army are set on fire on a daily basis. The discontent of the troops both in the front and in the rear is already evident. The workers do not want to die for Putin's business and his gang of oligarchs. The officers of the armed forces threaten to divide among themselves. A political crisis is brewing.

While this is happening, at the last NATO / G7 summit, after being dragged around and patted on the back, Zelensky was returned to Ukraine empty-handed. This was the moment of greatest crisis for Moscow in this war, however the US imperialists pushed Ukraine into a farcical "counteroffensive", with war supplies, tanks and artillery from the Second World War and the 1970s, without aviation and without long-range missiles.
The US seeks a military balance that strategically allows it to achieve its political objective, which is to subdue Ukraine as a colony after being partitioned by Putin and simultaneously weaken Moscow, while avoiding the fall and implosion of the Russian regime at the hands of the masses, which would mean a Vietnam against the counterrevolutionary device of imperialism in Great Russia and in all the former Soviet republics.
With this trench warfare, what the US is looking for is the emergence of a "Yeltsinist" caste of officers and Moscow oligarchs, that is, that they become partners and direct agents of Wall Street, as was Yeltsin, the head of the capitalist restoration in the former USSR in the '90s. This Russian ex-president was a direct man of Reagan, Thatcher and the Citibank, with whom he organized the fundamental businesses after the fall of the USSR.
Also, with the war in Ukraine, the US sought to assert its victorious role in World War II. A reluctant Maastricht was submitted to NATO. **It destroyed the Nordstream 2 gas pipeline and all the living space in Europe that the Franco-German axis had built for itself in recent decades from Portugal to Russia.** The US imperialists put themselves now in the front row for keeping the benefits of the minerals, gas, hydrocarbons and commodities of "Great Russia". Also, they are already preparing 720 companies that will take over the million-dollar businesses of the reconstruction of Ukraine.

Comrades,
We cannot allow this outcome. **It is the Ukrainian working class that fights and dies at the front.** It is in their hands to lead the struggle for national liberation. It is the Russian working youth who leave their blood in the human butchery in the trenches on behalf of the counterrevolutionary oligarchs of Moscow.

What is clear is that under the command of Zelensky and the lackeys of imperialism in Kyiv, the invader cannot be defeated.
The path is none other than to set up a **proletarian leadership of the war in Ukraine,** which disavow the IMF and the looting of its nation, which expropriate the transnationals and the large landholdings and companies of the Ukrainian bourgeoisie and **put all the economy at the service of winning the war against Putin's tyranny.** This would quickly unify the Ukrainian working class from Kyiv to Donbass. That would be a deadly blow to Putin's rearguard.
The path for Ukraine to win this war also lies in the uprising of the Russian masses. They have in their hands the possibility of paralyzing and defeating the Moscow fascist war machine from within, **which would open a revolutionary uprising inside Russia.**
The upheaval of the European working class in solidarity with the subjugated Ukrainian nation, invaded by Putin, is a decisive factor. The workers of the old world have in their hands the task to defeat the imperialist Maastricht and NATO. They and their governments are unloading their crisis on the working class and are coming for all the workers gains.

Comrades,
The world capitalist-imperialist system is in an agonizing crisis, which since its outbreak in 2008 has not found a way out other than the attack on the world working class, and wars. In successive crises, **the global division of labor has been broken.**
The imperialist powers come out to dispute the world. Germany, for now, has submitted to the Anglo-American axis, while France, which cries out "not wanting to be a pawn of the US", finds itself hard hit by its isolation; and its colonies, such as in sub-Saharan Africa (Mali, Chad, Niger, Senegal, etc.) are undergoing a huge crisis. For Paris, these colonies mean obtaining uranium at a vile price, which feeds the entire electrical system and its nuclear power. Hit by the persistent struggle of her working class and the crises in her colonies, France has become one of the weakest links in the chain of imperialist rule.
The nations of sub-Saharan Africa have been filled with military bases from all the imperialist countries. In Niger, France has 1500 men and military bases. USA has a military base with more than 1000 men and military gear. The US imperialists have entered into an open dispute

over them. With the ongoing coups, the national bourgeoisies seek to anticipate to the revolutionary uprising of the masses, as that of Kenya, and from there renegotiate their dividends as junior partners of the transnational companies.

There are too many imperialist powers. The struggle for the sources of raw materials and minerals that are essential for the new high-tech industries threatens new wars and massacres. To the dispute and the offensive for lithium, coltan, cobalt, uranium, gas, etc., there are Anglo-Canadian, USA, Japanese, German, French companies...
China looks for these minerals in the most difficult areas to extract in different regions of Africa, building the ports, the routes, making agreements with its currency. The Chinese bourgeoisie has become a great international trader bourgeoisie (like the English one in the 19th century), which not only exports (each time less), but also purchases raw materials for its powerful internal market to work. But, unlike the great imperialist powers, it cannot set up military bases to guard its trade.
These disputes over the sources of raw materials are opening up enormous instability in the world economy, in addition to the increase in the prices of food. **New political crises, coups d'état and also enormous class combats are underway in Africa and Latin America essentially, where the great sources and reserves of these minerals are located.** Let's not forget that because of coltan, imperialism divided the Congo and provoked fratricidal wars that cost a genocide of 4 million Congolese.

In past years and decades, we have seen the "oil wars" that filled the entire Middle East with blood and genocide, but also huge and gigantic worker and peasant revolutions that shook the entire world, not only in Palestine but throughout the region, as we have seen from 2011.
This is the ongoing process in the semicolonial world. It is a matter of life or death for the working class of the imperialist centres to stop the imperialist beast from within. This is so because in the face of the bankruptcy of their governments and regimes, they are coming for all the workers gains.

Comrades,
The world market has shrunk. There are already more than 700 million hungry people on the planet, according to the UN. The Mediterranean and the US border have been transformed into a tomb for migrant workers seeking a new opportunity to survive.
The Anglo-American imperialism, allied to Japan, and for now followed by Germany, not only goes for the sources of raw materials, but also needs that powerful Chinese domestic market, to which it has penetrated with its banks and its companies.
The American imperialists come for everything to keep their hegemony. In the midst of the war in Ukraine, they have taken 75% of the world arms market, taking a large part of the client portfolio from Moscow.
Anglo-American imperialism, allied to Japan, have built a true "NATO" in the Pacific. They have placed military bases all across that region, as in Chile and mainly Peru.

Capitalists have spent and parasitized benefits that human labor has not yet produced. The global financial oligarchy has covered its bankruptcies and deficits by emptying state treasuries, and seeks to make the world working class pay for its crisis. All the debts of nations, banks and companies have grown to the brutal figure of 188 trillion dollars, which is equivalent to 230% of world GDP.

Comrades,
The international working class wages battle. It has demonstrated it in Iraq and in Sri Lanka by seizing the citadel of power. Also in the great combats of the US working class yesterday, with the Black movement at its head.
Latin America, strangled by the IMF, is the ground for the uprising of workers and peasants, while the working class in Africa is fighting hard, as we saw in South Africa with the general strikes that defeated governments like Zuma's, or the Kenyan uprising against tax increases.
In Europe, the Maastricht working class refuse to be the ones to pay for the crisis. Their advance detachment is in **France**.
The working class of the former Soviet republics, as we saw in Kazakhstan, Belarus, Georgia, with the crisis that threatens Moscow in

the face of a military defeat in the Ukraine and the uprising that began in their youth, are signs that after 1989, the former Soviet proletariat seeks to get rid of the hated regimes and governments of the capitalist restoration and integrate, as it has been doing with the hard fights of the resistance in China, to the torrent of class struggle worldwide.
In Latin America, Peru is the outpost today of the revolutionary struggle of the masses there, as yesterday Chile, Colombia, Ecuador were, battles betrayed a thousand times by Stalinism and reformism.

Comrades,
The true crisis of the working class, is the lack of an internationalist revolutionary leadership, to coordinate and centralize its fight for the revolution in all regions and zones of the planet, as imperialism and the bourgeoisie do, with its states, armies, gunboats and transnationals, and the treacherous leaderships of the masses that the former buy for them to betray the struggle of the masses.
Stalinism, after 1989, after handing over the former workers states, has been rescued by the bourgeoisie to play again in this century all its counterrevolutionary role.
The parties that called themselves socialist and revolutionary, like those that have reneged and destroyed our Fourth International, are acting today as an appendage to Stalinism and have completely dissolved our world party. They retake from Stalinism their policy of supporting the fronts of class collaboration. They call to vote for bourgeois politicians that they brand as "progressives", who are actually executioners of the people. They proclaim themselves "anti-capitalist", but as we can see in France, along with Stalinism, they have built a true wall so that the masses do not finish defeating the Macron government and the Fifth Republic.
The great betrayal of reformism in the 21st century, in the midst of the crisis and bankruptcy of the world capitalist system, is their poisoning the working class, its conscience and its struggles by proposing that **the struggle for socialism and the revolution is not an immediate task, and that the working class and the exploited masses can improve their standard of living and existence within this bankrupt system and its terminal crisis. This is a lie and an infamy.**
All of them have sullied and given out Socialism and committed the worst crimes in its name.

Despite them, the alternative Socialism or Barbarism is more valid than ever.

In each struggle, thousands of vanguard workers become radicalized and begin a process of breaking with the treacherous leaderships. **They surpass their leaderships.** Those are the forces to set up a powerful internationalist revolutionary movement.
But these processes of radicalization, if they do not find a revolutionary pole that helps them distinguish who their allies are, who their enemies are and where their struggle should go, break up and dissolve due to the perfidious actions of the treacherous leaderships, and this we cannot allow to happen.

We must deepen the struggle we wage in common! The class struggle makes it imperative.
From the FLTI, you know that we are fighting to re-found the Fourth International, without renegades to Marxism or appendages of Stalinism. That is our contribution to the setting up, in this 21st century, of a new **Kienthal and Zimmerwald** that internationally regroup the ranks of revolutionary Marxism, as it happened yesterday with the revolutionary left wing of the Second International in 1914 at the beginning of World War I. There is no time to lose.

Comrades,
To end this message, we make you an emergency call. In these days, a thousand marines and detachments of the Japanese imperialist army have landed in Peru. A Pacific base has been installed there, imposed by the Dina dictatorship and the Fujimorites in that country. We call on you to intervene jointly in this very hard struggle that has begun, which the masses cannot lose, at the risk that a new black night will once again fill the whole Latin America with blood.
We call on you to join forces to deepen the struggle for the release of political prisoners in Peru today and in the world. Today in Peru a decisive battle of the working class against imperialism is being waged. This Pacific country, without a doubt, is a link in the imperialist control of the entire region, but also, today it is an outpost of the Latin American revolution and of all the workers of the Pacific.
The struggle to expel the US and Japanese imperialist military bases

and troops in Peru is the same one as to expel the US imperialist bases from Japan and defeat their militarist regime.

Comrades,
The masses enter the combat for their unprecedented sufferings, fighting for decent work, against the high cost of living, facing the most ferocious of state repressions, defending their conquests, fighting for land and against imperialist looting.
As the entire historical experience has shown, and it becomes decisive at this moment: **if the working class does not take power, their struggles are led to a dead end. It is the task of the revolutionaries to put the fight for the revolution as the first item on the agenda of the world working class. It is reformism and traitors who have removed it from the masses agenda.**
And if this is not achieved, the road will be open to serious defeats and war. The working class does not have the leadership it deserves. It is high time to rally the ranks of revolutionary socialists so that the socialist revolution returns as a living social force and sheds light in this dark world of the 21st century. The masses need it.

Let's fight together
James Sakala for the Workers International League (WIL) - Zimbabwe
Giovani Alberotanza for Avanzata Proletaria (Proletarian Advance) - Italy
Milenka Lopez, Abu Muad, Claudia P., Alejandro Flores and Carlos Munzer
For the Collective for the re-foundation of the Fourth International - FLTI

LALIT

Comrades, colleagues in the anti-war movement, friends who work for peace,

On the occasion of the 61st *International Antiwar Assemblies*, LALIT (*meaning "struggle" in the Mauritian language*) is pleased to send our revolutionary greetings to Japanese workers and students attending the anti-war assemblies being held in different regions in Japan soon.

At the very outset, we all see the *International Antiwar Assemblies* taking place at the very moment when the Russian-Ukraine war has surpassed 500 days, causing thousands of deaths, thousands of war injuries, and millions of people displaced, as well as the destruction of much of Ukraine.

While African leaders, to their credit, are looking for a peaceful solution to stop the war, to ensure that poor people in the African Continent are not afflicted by rising prices and food scarcity provoked by the war, the US imperialists are acting for the escalation of the war, i.e. doing exactly the opposite. The UK and USA even managed to sabotage a cease-fire agreed in March last year, even when Ukraine had agreed, arguing that Russia was not weakened enough for the liking of the West. Imagine how different life would be in Ukraine, had that cease-fire led to peace negotiations? President Biden has now unilaterally decided to send *cluster munitions* to Ukraine, adding even more danger of severe *humanitarian consequences and unacceptable harm to civilians* (Convention on Clusters Munitions, 2008). In retaliation, Putin is threatening to use same kind of bombs. More than 100 countries, even a majority of countries in the NATO alliance, are against the use of these unconventional arms.

LALIT demands that the war be stopped. There needs to be an immediate ceasefire, and negotiations opened. The Russian army must immediately withdraw its troops from Ukraine. The NATO countries, led by US imperialists who totally control Europe now, must immediately

stop sending arms to Ukraine. This new form of proxy war, where the USA arms Ukranians, will only lead to further escalation, and death and destruction. NATO must be disbanded, as the Warsaw Pact was. It is as simple as that. The USA's undertaking not to expand NATO eastwards has, unfortunately, just been flaunted, time and time again, until encirclement of Russia is now well-nigh complete. And now NATO starts to encircle China, openly aiming to set up desks in Japan and South Korea. The USA is putting inordinate pressure, as you know, on these two Eastern countries, to spend on arms, i.e. like Europe, in reality on *American* arms.

In Mauritius, we in LALIT are, for our part, continuing to mobilize to close down the UK-USA military base on Mauritian territory, i.e. Diego Garcia which is part of the Chagos Archipelago region of the Republic of Mauritius. Our struggle moved forward, as you know, after the UN General Assembly 2019 resolution told the UK to withdraw altogether from the entire Chagos Archipelago. This came after the *International Court of Justice* judgment declared the UK-US military occupation to be the illegal occupation of a sovereign country. The UK and USA, while arming Ukraine to the teeth to oppose illegal occupation by Russia, just, themselves, illegally occupy our country. They do not even see their own hypocrisy.

Our Government is now, shamefully, holding secret talks with the UK Government, and making concessions. The Mauritian Prime Minister has even gone so far, after winning at the ICJ and UN General Assembly (where the UK-USA alliance was so isolated it got support from only three countries, Israel, Australia and Hungary) as to offer the USA a lease on Diego Garcia for their base to continue operating. We oppose this. LALIT, three big union federations, workers' and women's associations and anti-base militants, have come together to oppose these talks and this offer of a lease.

Our struggle on Chagos continues, focusing as always on (a) the dismantling of the US military base on Diego Garcia and the cleaning up of any nuclear and other pollution (b) the right of Chagossians as well as all people of Mauritius in general to visit or settle on all the Chagos islands, i.e. freedom of movement within our country (c) and

the complete decolonization and re-unification of Mauritius territory, as called for by the UN's courts and General Assembly. Military occupation must end.

LALIT's struggle against wars and military bases in the Indian Ocean and world-wide has over years linked us together with the struggle that the JRCL is waging in opposing the Japanese ruling class and US imperialists maintaining military bases in Japan, and opposing arms manufacture and arms build-up. We oppose all the 800 or so military bases all over the world. They must all be dismantled, just as NATO must be.

Our struggles against wars and militarism are linked to our struggles against the capitalist system. Democracy in the capitalist system is difficult, if not impossible, when countries like the USA are run by a small band of a few hundred capitalists that run the monopoly firms of the "Military Industrial Complex", of the Big Pharma, of the the food and agriculture sector, and of Big Data. It is these types of firm that dominate, and exploit the broad masses of the whole world, taking all the decisions in the interests of their profits. They, in turn, put humanity in a triple, inter-related existential threat: destruction through nuclear war, destruction through pollution-related environmental collapse, destruction through the collapse of civilization into either bands of armed men, of which Haiti is a precursor country, or into a dystopia of extreme state repression, of which we will soon have examples, if we do not manage to oppose this system in creative ways, relying on the brilliance of ordinary people, when they think and act together independently of the ruling class.

Our common struggle can only be reinforced through articulating our local struggles to the international struggles and at the same time building networks of organisations working towards revolutionary changes for more equal societies, in particular for classless society. Any lasting revolutionary change needs to be part of an international dynamic for change.

We wish your assemblies to be resourceful and inspiring for workers and students in Japan in the fight against the imperialist war, and

against the military bases and the arms industry, that together, *cause* war.

Rada Kistnasamy

The Secretariat of the Fourth International

• Dear comrades,

The secretariat of the Fourth International which condemned the military intervention in Ukraine launched by the oligarch Putin against the oligarch Zelynski, considers that the war in Ukraine is used by American imperialism to, with its armed wing NATO, relaunch the arms economy in order to save the capitalist system in crisis. The Fourth International recalls that US imperialism never fights for peace and democracy. On the contrary, it has been the main warmonger in the world since the American atomic bombs dropped on Hiroshima and Nagasaki in 1945. We can recall the Korean War, the war in Vietnam, the war in Yugoslavia (carried out under the aegis of NATO), the two wars in Iraq... The most powerful imperialism on the planet, US imperialism, which has the military command of NATO intends to use the war in Ukraine, unleashed by Putin, to seize the immense natural resources of Russia and then settle accounts with China, its main economic competitor, all at the cost of immense destruction for the peoples and classed workers. This is why the secretariat of the Fourth International, which is therefore not in favor of a "victory" for Biden / NATO or for Putin, supports all initiatives for an immediate ceasefire in Ukraine.
• 2023 / July 8
• For Fourth International secretary
Jean-Pierre Fitoussi

Исайчиков Виктор Фёдорович

ИЛИ МЫ ПОБЕДИМ ВОЙНУ, ИЛИ ВОЙНА ПОБЕДИТ НАС

Уважаемые участники антивоенной ассамблеи!

Наша планета стоит на переломе, которого никогда не было в мировой истории и который особенно трудно понять после 78 лет развития без мировых войн: мы находимся на пороге глобального уничтожения 7,5 миллиардов человек — включая всех нас, борцов за мир.

Капиталистическая анархия привела мир не только к небывалому классовому расколу, когда 1% богатейших капиталистов богаче половины населения мира, но и к тому, что анархический рост населения стал угрозой экологического самоуничтожения человечества. Если весь мир выйдет на уровень потребления наиболее богатых стран (а только несколько миллионов человек во всём мире достигли уровня нормального материального обеспечения), то для этого не хватит большинства ресурсов, а экологическая угроза от вредных отходов усугубит положение. Уже сейчас не только учёные, но и многие страны почувствовали на себе главную угрозу — перегрев атмосферы и океана, небывалый в истории человечества.

В этих условиях только переход на однодетную семью в мировом масштабе (вместе с развитием прогрессивных технологий) смогут предотвратить губительные экологические последствия капиталистической анархии. Однако такая социальная политика сейчас недоступна большинству беднейших стран мира, которые на протяжении веков эксплуатируются капиталистами развитых стран (в том числе Японии), ибо она требует значительных средств на создание системы социального обеспечения для тех стран, где лишь собственные дети могут обеспечить неработоспособных родителей.

Но поскольку за последние полвека такая политика в мировом масштабе не проводится (лишь КНР удалось сознательно

стабилизировать численность населения, и в ряде развитых стран произошёл стихийный переход к однодетной семье), но в тоже время увеличиваются и совершенствуются арсеналы оружия массового поражения (не столько ядерного, сколько биологического и химического), то логически мы приходим к выводу, что мировой финансовый олигархат (преимущественно США) взял курс на решение проблемы перенаселения насильственным, военным путём.

Кроме того, империалисты США рассчитывают в Третьей мировой войне уничтожить не только бедняков всего мира, которые не нужны им ни как покупатели товаров, но и как продавцы рабочей силы, но и основных своих конкурентов: КНР, ЕС, Японию (Россия с 1-2% мирового ВВП преимущественно в сырьевых отраслях — не конкурент США). А поскольку известна вековая практика американского империализма — достигать своих целей чужими руками, то стратегия США вполне ясна — стравить в Европе Россию с ЕС, а в Азии — КНР с Японией («чемберлены» и «даладье», не понимающие хода мирового развития, среди руководителей многих стран не перевелись). Победители в этой борьбе будут добиты США — «союзникам» не следует тешить себя надеждами.

В этих условиях борьба за мир является единственным способом предотвратить развязывание полномасштабной войны. Для рабочего и коммунистического движения в этих условиях главным является борьба против собственного империализма (в том числе такого, который не понимает той роли, которую ему отвели вашингтонские кукловоды) — и это очень трудная борьба, ибо кучка капиталистов руками нанятых слуг, особенно в СМИ, научилась ловко манипулировать психологией масс. Когда коммунисты клеймят империалистов и агрессоров других стран, и не замечают реакционной деятельности «своих», то они невольно (или вольно) выступают защитниками «собственных» капиталистов.

Опыт Первой и Второй мировых войн показал, что рабочий класс империалистических стран не смог противодействовать военным планам империалистов, в первую очередь потому, что был подкуплен «своими» капиталистами за счёт грабежа колоний и других стран. Известно, что жизненный уровень рабочего

класса в Германии за счёт грабежа оккупированных стран возрастал до 1943 года, и не немецкий капиталист, а немецкий рабочий воевал не только в таким же прикормленным рабочим Англии и Франции, но и с пролетариатом социалистической России.

Кроме того, сейчас, несмотря на то что для современного империализма вопросы территориального владения давно ушли в прошлое, массам внедряются иллюзии о необходимости различных территориальных претензий. Великобритания на другом конце мира ввязалась в войну за Фолклендские (Мальвинские) острова, веками никем не заселённые (которые сейчас известны лишь скромным овцеводством), угрожая применением ядерного оружия Аргентине. Япония, Китай и Вьетнам спорят о кучке мелких островов в Южно-Китайском море. Японских трудящихся десятки лет возбуждают насчёт островов Малой Курильской гряды, на которых исторически жили не японцы, а айны; такая же националистическая кампания насчёт этих островов ведётся в России. Неужели все проблемы Японии и её пролетариата будут решены при присоединении этих клочков земли, а пролетариат России станет жить ещё хуже без этих территорий?

С другой стороны, не следует забывать, что существуют действительно не решённые национальные проблемы, связанные с территориями. Насильственно отделённый от Китая Тайвань, населённый китайцами — одна из таких проблем. КНР уже удалось отобрать у колонизаторов Макао и Гонконг; возврат Тайваня — следующий необходимый шаг в национальной консолидации китайской нации. Развал Советского Союза, в котором национальные вопросы решались относительно успешно (но не без сталинистских ошибок), породил ряд территориальных споров между националистическими буржуазными государствами, возникшими на руинах СССР. Вооружённые конфликты между Арменией и Азербайджаном, Молдовой и Приднепровской республикой, Грузии с Абхазией и Южной Осетией — следствия разгула местных национализмов, пытавшихся подавить другие нации.

Особое место среди этих конфликтов заняли конфликты между Россией и Украиной. Границы современной Украины

были установлены, в основном, немецким генералом Гофманом во время оккупации в 1918 году и включали ряд районов, в которых проживало неукраинское население: русские, евреи, молдаване, белорусы, поляки и пр. В советское время ряд национально-территориальных вопросов был урегулирован, например, район Гомеля был передан в Белоруссию, в северная часть Черниговщины — в Россию. Однако ряд других вопросов так и остался неурегулированным, в том числе и потому, что в СССР проводилась политика исключения как великодержавного шовинизма, так и местного национализма, и в Украинской ССР все национальности развивались свободно (хотя и не без мелких проблем).

Августовская контрреволюция изменила положение в Украине, где стал набирать силу украинский национализм. В стране, в которой всё население знало русский язык, а каждый пятый был русскоговорящим, русский язык потерял статус государственного и стал насильственно вытесняться, что нарушало гражданские права населения, особенно в Донбассе и в Крыму. Эта политика украинских националистов велась по прямому указанию американских спецслужб и вызвало законное сопротивление населения на Юго-Востоке Украины и в Крыму. Государственный переворот в Киеве, организованный спецслужбами НАТО, и приход к власти откровенных националистов побудило рабочий класс Донбасса к сопротивлению и борьбе за независимость. Возникли две республики: Донецкая и Луганская, против которых киевские власти начали вооружённую борьбу. К сожалению, слабо организованный пролетариат Донбасса не получил поддержку мирового пролетариата и был оттеснён от власти в этих народных республиках ставленниками российских властей. Киевская военщина все эти годы вела обстрелы этих регионов, от которых погибли несколько тысяч человек гражданского населения, включая женщин и детей. Эти военные преступления поддерживались империалистами НАТО, а мировой пролетариат не оказал сопротивления империалистам.

Этот конфликт, который вполне можно было решить мирным путём, разжигался странами НАТО, особенно ближайшими союзниками США в блоке. Расширение военных действий с

обеих сторон давно потеряло все разумные основания; с обеих сторон в конфликте за интересы империалистов США за полтора года погибло в десятки раз больше людей, чем от варварских обстрелов донбасских республик.

Этот конфликт грозит перерасти в мировую войну на уничтожение, и главный виновник и организатор этой войны — финансовый олигархат США.

Развернём мировую борьбу против мировой войны!

Исайчиков В.Ф., «Марксистская платформа», главный редактор журнала «Просвещение».

国際・国内の階級情勢と革命的左翼の闘いの記録（二〇二三年八月〜九月）

国際情勢

8・1　米ワシントンＤＣの連邦地裁大陪審が前大統領トランプを「国家を欺いた共謀」など四つの罪で起訴

8・2　ロシア軍がルーマニア国境近くのウクライナ・イズマイルの穀物施設を無人機攻撃。ウクライナ軍がクリミア半島北側の二つの橋を巡航ミサイルで攻撃（6日）。露軍がザポリージャを連日ミサイル攻撃、死傷者多数（9〜10日）

8・4　ロシアでナワリヌイに新たに懲役19年の判決

8・5　ウクライナとサウジアラビア共催の和平協議（ジッダ、〜6日）中国をふくむ42ヵ国参加、非公開

8・9　米が先端半導体・ＡＩ・量子コンピュータの中国むけ製品輸出に加え投資も規制する大統領令

8・11　Ｑｕａｄ4ヵ国（米・日・印・豪）軍が共同演習「マラバール」を豪州の海空域で初めて開始

8・17　**中国不動産大手「中国恒大集団」が米国で連邦破産法第15条の適用を申請、負債総額は約49兆円**

8・18　**米日韓3国首脳会談が米大統領山荘キャンプデービッドで開催。「3国の安保協力を新たな高みに引き上げる」と発表、アジア版ＮＡＴＯ構築を宣言**

8・19　露軍がウクライナ北部チェルニヒウの劇場をミサイル攻撃、7人死亡、144人負傷。ウクライナ軍がモスクワ南西の超音速戦略爆撃機の配備先シャイコフカ空軍基地を無人機攻撃（21日）

▽中国海空軍が台湾周辺で軍事演習を開始

▽ゼレンスキーがスウェーデン、デンマーク、オラン

国内情勢

8・2　中国電力が関西電力と共同で使用済み核燃料の中間貯蔵施設の建設に向けた調査を実施したいと山口県上関町町長に申し入れ

8・4　首相・岸田文雄が記者会見で、来秋に予定している健康保険証の廃止時期は延期しないと開き直る

▽東京地検特捜部が外務政務官・自民党衆議院議員の秋本真利の事務所を家宅捜索。「日本風力開発」から３０００万円の収賄容疑

8・8　政府のマイナンバー紐付けにかんする総点検の中間報告で新たに千件超のミスが判明

▽自民党副総裁・麻生太郎が台湾の国際フォーラムで中国と「戦う覚悟が必要」と発言

8・15　岸田が靖国神社に玉串料を奉納。経済安全保障担当相・高市早苗、自民党政調会長・萩生田光一らが参拝

8・16　長崎県対馬市議会特別委員会が高レベル放射性廃棄物の最終処分場の「文献調査」受け入れを求める請願を採択

8・18　**日米首脳会談で極超音速兵器迎撃用の新型ミサイルを共同開発することを合意**

▽上関町議会で使用済み核燃料の中間貯蔵施設建設に向けた調査の受け入れを町長が表明

▽23年度都道府県ごとの最低賃金を時給ベースで全国平均１００４円に、上げ幅は平均43円

革命的左翼の闘い

8・5　全学連北海道地方共闘会議が札幌駅前で国際反戦集会の情宣

8・6　**第61回国際反戦集会を全国7ヵ所で戦闘的にかちとる**（東京、北海道、北陸、東海、関西、九州。沖縄集会は台風のため12日に延期して開催）。中央集会ではウクライナ反戦、岸田政権による大軍拡・改憲阻止の闘いの大爆発を呼びかける基調報告を提起。ウクライナ・ロシアからのメッセージに結集した労働者・学生が熱い共感と連帯のエールをおくる。労働者代表と有木全学連委員長が決意表明

8・17　沖縄県学連が米日韓首脳会談反対の緊急闘争。在沖縄米総領事館（浦添市）に抗議の拳

8・18　全学連が米日韓首脳会談反対の抗議闘争に起つ。米大使館に怒りのシュプレヒコール

8・23　金沢大学共通教育学生自治会が「日豪共同空軍演習反対」の航空自衛隊小松基地ゲート前集会（石川県平和運動センター主催、小松市）で奮闘。結集した労働者・市民に「米日韓の核軍事同盟強化反対・アジア版ＮＡＴＯ

ダ、ギリシャを訪問（〜21日）。F16戦闘機受け入れ、訓練を確認
8・20 グアテマラで中道左派のアレバロが大統領当選
8・21 米韓両軍が朝鮮半島有事を想定した合同軍事演習「乙支フリーダムシールド」を開始（〜31日）
8・22 **BRICS首脳会議**（南アフリカ、〜24日）**でイラン、サウジ、UAE、エジプト、エチオピア、アルゼンチンを新加盟国とする宣言を採択**
▽露軍副司令官スロビキン解任。ワグネルの乱に関与
▽カンボジアでフン・センの長男が首相に
8・23 **プリゴジンらワグネル幹部が搭乗する小型機がモスクワ北西上空で爆発・墜落、搭乗者全員死亡**
▽印の探査機が月の南極付近への着陸に成功、世界初
8・24 北朝鮮が軍事偵察衛星の打ち上げに失敗
8・26 中国無人機2機が台湾を囲む異例のルートで24時間飛行、同時間帯に中国軍機32機、艦船9隻も活動
8・28 ウクライナ軍が南部の要衝ロボティネを奪還
8・29 米日韓のイージス艦3隻が済州島南方で「ミサイル防衛訓練」を実施
▽米商務長官レモンドが中国首相・李強と会談。米中が半導体輸出規制の現状を「情報共有」する初会合
8・30 中国不動産最大手・碧桂園が経営危機、6月末の債務総額27兆円となりデフォルト寸前
▽アフリカ中部ガボンで親露派の軍がクーデタ
9・1 露国営宇宙開発企業の社長が10個以上の多弾頭ICBM「サルマト」の実戦配備を発表
9・2 北朝鮮が模擬核弾頭搭載の巡航ミサイル訓練
9・5 タイでタクシン派政党の首相タウィシンと親軍

8・21 岸田が全漁連会長を官邸に呼びつけ福島第一原発汚染水の海洋放出に同意を迫る
8・23 政府が「防衛装備移転3原則」の運用指針見直し自公実務者協議で日英伊共同開発の次期戦闘機の第三国への直接輸出容認を迫る
8・24 **政府・東京電力が福島第一原発の放射能汚染水の海洋放出開始を強行**
8・27 海自軽空母「いずも」がマニラに初寄港
8・28 毎日新聞世論調査で内閣支持率と自民党支持率の合計が51%で「危険水域」と報道
▽米国務省が長射程空対地ミサイルJASSM—ERの対日売却を承認
8・30 ガソリン1㍑あたりの全国平均小売価格が185円60銭、過去最高
▽官房長官・松野博一が関東大震災時の朝鮮人虐殺は「事実関係を把握できない」と強弁
▽警察庁がサイバー特別捜査隊を「部」に格上げ
8・31 セブン&アイ・ホールディングスが臨時取締役会で傘下の百貨店大手「そごう・西武」の売却を決議。売却に反対する労組は池袋本店でスト。9月1日にヨドバシHDと提携する米投資ファンドに売却完了
9・1 文部科学省が国際卓越研究大学の初候補に東北大学を選出
9・3 外相・林芳正がヨルダン、エジプト、サウジアラビア、ポーランドを歴訪（〜8日）
9・4 **辺野古新基地建設の設計変更申請をめぐり沖縄県が国を訴えた裁判の上告審判決で最**

構築阻止・中露の軍事行動反対」を訴える
▽琉球大学学生会と沖縄国際大学学生自治会が「放射能汚染水の海洋放出反対緊急集会」（沖縄平和運動センターら主催、那覇市）に決起。「原発・核開発阻止」を呼びかける
8・24 たたかう学生が「全労連」傘下の「奈良県労連」系実行委員会主催の講演会で侵略者プーチンを擁護する老スターリニスト安斎育郎を徹底追及（奈良市）
9・5 沖縄県学連と県反戦が「最高裁の反動判決弾劾！ 辺野古大浦湾埋め立て工事阻止！」の海上行動（辺野古現地）と緊急抗議集会（オール沖縄会議主催、那覇市）に決起。抗議集会に結集した労働者・市民700名に「南西諸島の軍事要塞化反対・日米グローバル同盟強化反対」を訴える
9・7 愛知大学と名古屋大学のたたかう学生が弁護士とともに愛知県警・公安3課による9月6日の愛大生・名大生の住居への不当捜索に抗議する記者会見をひらく。「給付金詐欺罪」をデッチ上げての家宅捜索の不当性を暴露し弾劾。愛知県内のマスコミ4社が参加
9・13 全学連が岸田再改造政権の発足に

勢力が手を組んだ大連立政権が発足

▽サウジが原油の減産を12月まで継続と発表

▽ASEAN首脳会議(ジャカルタ)。7日に同地で東アジア首脳会議、バイデンと習近平はともに欠席

9・6 ウクライナ・ドネツク州コンスタンチノフカの市場を露軍がミサイル攻撃、死者17人負傷者32人

9・9 **G20首脳会議**(ニューデリー、〜10日)、**プーチン、習近平は欠席。印主導で露の名指しを避けた「領土獲得の武力行使をしてはならない」との宣言**

▽伊首相メローニが「一帯一路」離脱の意向を表明

9・10 ロシア統一地方選、プーチンがウクライナ4州を含め「統一ロシアの勝利」と宣言

▽米大統領バイデンがベトナム訪問、両国関係を「包括的戦略パートナーシップ」に格上げ

9・13 **金正恩が訪露**(〜17日)、**プーチンとアムール州の宇宙基地で首脳会談。正恩はウクライナ侵略を全面支持、プーチンが宇宙開発で北朝鮮支援を表明**

▽ベネズエラ大統領マドゥロが訪中し習近平と会談、「全天候型戦略パートナーシップ」への格上げを謳う

9・15 全米自動車労組が大手3社にたいしスト突入

9・16 中国外相・王毅と米大統領補佐官サリバンが12時間会談(マルタ、〜17日)。米国務長官ブリンケンと中国国家副主席・韓正が会談(ニューヨーク、18日)。高官協議の継続を合意

9・18 露国家安全保障会議書記パトルシェフが王毅を招待(〜21日)。共同議長として中露第18回戦略安全保障協議を主催(19日)

▽ウクライナが同国産穀物の輸入を禁止するポーランド、スロバキア、ハンガリーをWTOに提訴

高裁が上告棄却の反動判決

9・5 24年度一般会計予算の概算要求総額が114兆３８５２億円と財務省が発表。過去最大、防衛費も過去最大の7兆７０５０億円

9・7 東京地検特捜部が自民党衆院議員(すでに離党)秋本を収賄容疑で逮捕、27日起訴

9・8 7月の実質賃金が前年同月比２・５%減で16ヵ月連続の減少

9・9 外相・林が企業経営者多数を率いてウクライナを訪問、ゼレンスキーや外相らと会談

9・11 中国電力が島根原発2号機を24年8月に再稼働すると発表

9・13 **岸田が内閣を改造・党役員人事を発表、防衛相に安倍政権で安保担当補佐官を務めた親台湾派の木原稔など、軍事強国化の布陣**

9・15 岸田が閣議で首相補佐官に国民民主党前参議院議員の矢田稚子を起用する人事を決定

9・16 神奈川県川崎市のJFEの高炉が休止。京浜地区の全社員２０００人の6割の約１２００人が配転・解雇に

9・19 岸田が国連総会で「人間中心の国際協力を」とグローバルサウスに配慮した一般演説

▽金融庁が自動車保険金不正請求問題で、中古車販売会社ビッグモーターと不正を知りつつ取引を再開した損保ジャパンに立ち入り検査

9・21 JIPら国内連合による東芝へのTOB(株式公開買い付け)が成立。年内に非上場化

9・22 日銀が金融政策決定会合で金融緩和策の現状維持を決定

たいして憲法改悪・大軍拡反対の対首相官邸闘争に起つ。日共中央の完全な闘争放棄を弾劾したたかう

9・18 道共闘が「日米共同訓練(オリエントシールド23)反対道東集会」(釧路市)で奮闘。結集した労働者に「日米グローバル同盟の強化反対」を呼びかける

9・19 北海道大学のたたかう学生が「戦争法強行採決から8年! 総がかり行動」(戦争をさせない北海道委員会主催、札幌市)に起つ。市街中心部を労働者とともにデモ

9・24 **革マル派結成六〇周年・革共同政治集会**(松戸市民会館)**を１３００名の労働者・学生の結集のもとに圧倒的にかちとる。**わが同盟の60年の歴史的闘いをうつしだすビデオを上映。同志掛川渉が基調報告を提起、革マル派建設60年の苦闘と諸教訓をわがものにしてわが反スターリン主義運動のさらなる飛躍をかちとろうと呼びかける。有木全学連委員長、医療・福祉労働者、沖縄自治体労働者、革共同中央学生組織委員会の代表が労学両戦線での闘いの前進を力強く報告

▽米とイランが「囚人交換」で5人ずつ解放。米は韓国で凍結していたイランの石油代金60億ドルを解除
▽カナダ首相トルドーが同国籍のシーク教指導者殺害事件に「印政府が関与」として印情報当局高官を追放。印政府がカナダ人へのビザ発給を停止（21日）
9・19 **アゼルバイジャンがナゴルノ・カラバフ自治州のアルメニア人勢力を攻撃し200人死亡。ロシアが見殺し、同自治州は消滅**
▽国連総会の一般討論演説開始、ゼレンスキーが「侵略者を倒すために団結を」と呼びかけ
▽バイデンが中央アジア5ヵ国と初の首脳会合（ニューヨーク）。鉱物資源の共同開発などを提案
9・22 **ウクライナ軍が露黒海艦隊司令部を攻撃、司令官をはじめ幹部34人死亡、105人負傷と発表**
9・23 習近平が韓国首相と会談し（杭州市）、中韓日首脳会談開催に「歓迎」の意向を示す
9・24 仏大統領マクロンがニジェールから駐留仏軍を年内に撤退させると表明
9・26 韓国で10年ぶりに軍事パレード、尹錫悦が「北朝鮮が核使用すれば米韓同盟で金政権を倒す」と演説
▽北朝鮮最高人民会議開催（～27日）、憲法に核兵器保有政策の明記を採択
▽バイデンがデトロイト近郊のGM社のスト現場で労組を「激励」。トランプも翌27日同地で演説
9・30 米上下両院でウクライナ支援予算を外すことで民主・共和両党が妥協、45日間のつなぎ予算可決
▽スロバキアの総選挙で親露・ウクライナ軍事支援反対の左派党スメルが支援継続を訴える現政権に勝利

9・25 米宇宙軍トップのサルツマン作戦部長が日本国内に司令部を置く在日米宇宙軍の創設を検討と言明。自衛隊「宇宙作戦群」と連携
▽IAEA総会初日に日本の科学技術担当相・高市が福島原発汚染水海洋放出を正当化する演説、非難する中国代表と激しく応酬
9・26 日本・中国・韓国の外務省高級事務レベル協議で3ヵ国の首脳会談を年内に4年ぶりに開催するとりくみを本格化することを決定
▽岸田が半導体や蓄電池の国内生産支援などの経済対策を10月中にまとめよと閣議で指示
9・27 対馬市長が高レベル放射性廃棄物最終処分場選定の「文献調査」に反対を表明
▽チッソがメチル水銀を含む排水を流した不知火海沿岸で暮らし障害を訴える人々全員を、大阪地裁が水俣病と認め国などに賠償命令
▽沖縄県知事・玉城デニーが、防衛省の辺野古北側の埋め立て工事の設計変更申請を承認するように求めた国土交通省「勧告」にたいして、期限のこの日までに「承認できない」と回答。国交相・斉藤鉄夫が玉城に10月4日までに承認するように「指示」（28日）
9・28 東京金融市場で円が1ドル150円に接近
▽東北電力が女川2号機の再稼働を24年5月ごろに延期すると発表
9・29 日本政府関係者が今年3月と5月に北朝鮮労働党関係者と東南アジアで秘密裏に接触、その後交渉停滞と『朝日新聞』が報道

『新世紀』バックナンバー

No.327 2023年11月

米日韓核軍事同盟の強化を許すな

8・6国際反戦集会の大高揚／海外からのメッセージ／プリゴジン暗殺の深層／印の戦略的自律外交／米中半導体戦争／放射能汚染水の海洋放出弾劾／続発するマイナカード関連トラブル／そごう・西武スト／給特法撤廃をかちとれ

No.326 2023年9月

ワグネルの反乱 揺らぐロシア支配体制

ネオ・ファシズム政権打倒／反戦反安保・改憲阻止／反動諸法制定弾劾／岸田「新しい資本主義」／DXと大失業／生成AI／コロナ「五類」／海外への反戦アピール／日共の四分五裂／JP低額妥結を否決せよ／トヨタサプライチェーン

No.325 2023年7月

憲法改悪・大軍拡阻止に起て

G7サミット反対【新入生は今こそ起て／ウクライナ侵略反対Q&A】ウクライナの左翼と連帯／改憲阻止・プーチンの戦争粉砕【特集23春闘】『連合白書』批判／「全労連」指導部弾劾／私鉄・トヨタ・JAM・NTT・出版・郵政

No.324 2023年5月

ウクライナ反戦、大軍拡阻止に起て

〈プーチンの戦争〉粉砕／「大祖国戦争」神話／改憲・大軍拡阻止／分断と荒廃のアメリカ／大幅一律賃上げ獲得／反戦反安保の闘いを／自動車春闘／電機春闘／原発運転期間延長／日本のエネルギー安保／汚染水放出／40年廃炉の破綻

新 世 紀　第328号（隔月刊）

日本革命的共産主義者同盟 革命的マルクス主義派 機関誌©

発行日　2023年12月10日

発行所　解 放 社

〒162-0041　東京都新宿区早稲田鶴巻町 525-3
電話 03-3207-1261　振替 00190-6-742836
URL http://www.jrcl.org/

発売元　有限会社 K K 書 房

〒162-0041　東京都新宿区早稲田鶴巻町 525-5-101
電話 03-5292-1210　振替 00180-7-146431
URL http://www.kk-shobo.co.jp/

ＩＳＢＮ 978-4-89989-328-8　C0030

落丁・乱丁本はおとりかえいたします。